LES CARNETS DU MAJOR
W. MARMADUKE THOMPSON

Né à Paris en 1913, journaliste dès 1931, Pierre Daninos a publié plusieurs livres quand, en 1947, il reçoit le Prix Inter-allié pour Les Carnets du Bon Dieu. *En 1952, le Prix Cour-teline couronne* Sonia, les autres et moi, *1954 est l'année des* Carnets, *1958 celles de* Vacances à tous prix. *En 1960 paraît* Un certain Monsieur Blot, *en 1962* Le Jacassin, *en 1964* Snobissimo.
C'est après avoir écrit en 1966 Le 36ᵉᵐᵉ Dessous, *que le père du Major est victime d'un grave accident de la route. Il publie en 1968* Le Major tricolore ou Comment peut-on être Français? *Revenu au roman en 1970* (Ludovic Morateur), *il accomplit en 1974 un tour du monde d'où naissent* Les Touristocrates, *et, en 1977, avec* Made in France, *délaisse le déguisement du Major pour redécouvrir notre pays avec les yeux d'une jeune Norvégienne... En 1979, c'est* La Composition d'Histoire.

Lorsqu'en janvier 1954 Pierre Daninos fit apparaître dans *Le Figaro* un mystérieux major W. Marmaduke Thompson qui, abandonnant la chasse au tigre, décidait d'explorer la jungle française et de consigner ses observations sur les autochtones, leur comportement, leurs manies, leurs qua-lités, leurs défauts — il ne pensait pas que ces notes, encore réduites à quelques articles, allaient devenir un livre, et un livre promis à l'un des plus grands succès de librairie de ce temps.
Aujourd'hui *Les Carnets du Major Thompson* ont atteint, en France seulement, un tirage de deux millions d'exem-plaires (depuis que Le Livre de Poche a pris le relais de l'édition Hachette en 1960, il n'a jamais cessé de réimprimer et dépasse avec la présente édition le cap des 920 000). Tra-duits dans vingt-huit pays, aussi bien au Japon qu'en Fin-lande, en U.R.S.S. qu'aux U.S.A., *Les Carnets du Major Thompson* font l'objet d'éditions scolaires et universitaires en Grande-Bretagne, en Allemagne, en Suède, aux Etats-Unis, etc.

ŒUVRES DE PIERRE DANINOS

PIERRE DANINOS

Les carnets du major
W. Marmaduke Thompson

DÉCOUVERTE DE LA FRANCE
ET DES FRANÇAIS

LE LIVRE DE POCHE

CE QUE DIT LE « WHO'S WHO » :

THOMPSON, MAJOR HON. WILLIAM MARMADUKE, D.S.O. (1943), C.S.I. (1934), O.B.E. (1931). *b.* 8 oct. 1902. 4 th *s.* of 4th Earl Strawforness. *Education :* Rugby; Trinity College, Fellow of All Souls, Oxford. *Married :* 1. 1929 Penelope Ursula Hopkins († 1931); 2. 1932 Martine-Nicole Noblet. Entered Army 1924, served Waziristan Campaign (1924), transferred to India, Rawalpindi District (1926), 9th Lancers Mesopotamia (1928), 38th Dogras Palestine and Egypt (1931). Secretary to the Hon. the Policitical Resident, Persian Gulf (1931). Political Agent, Kuwait (1932). Served 2nd World War 1939-1945 with Royal Warwickshire Regt (despatches twice, D.S.O. Croix de Guerre). Retired from army 1945. Member H.M. Diplomatic Service. *Publication :* The *Arab of Mesopotamia;* various communications on the South African lepidoptera. *Recreations :* big-game hunting, natural history, golf, gardening. *Clubs :* Cavalry (London), Automobile Club (Paris), Honourable Company of Edinburgh Golfers (Muirfield). *Addresses :* England : Tower Cottages, Rowlands Castle, Penddleton, Hampshire. Continent : c/o Thos Cook and Son, Paris

MAY I INTRODUCE MYSELF[1]?...

Un Anglais correct — si j'ose risquer ce pléo-
nasme sans choquer mes honorables compatriotes — ne saurait, à moins de perdre du
même coup toute dignité, parler de lui-même,
surtout au début d'un récit. Mais, à l'instar
des astronautes, qui, à partir d'une certaine
distance, échappent aux obligations de la

1. Dès la première ligne, une discussion a opposé le
Major à son collaborateur français. Celui-ci ayant voulu
traduire le titre : « Puis-je me présenter? » le Major a
insisté pour obtenir une traduction plus littérale. « M'in-
troduire me paraît plus exact. — On ne dirait pas cela
en français, dit le Français. — Alors laissez les choses en
anglais, dit le Major. Elles disent mieux ce que je veux
dire. » Le traducteur, ne voulant pas compromettre, dès
l'entrée en matière, l'ensemble de l'entreprise, n'a pas
insisté, mais fait remarquer que tous les autres titres,
de même que la majeure partie de la traduction, sont
rédigés en français. (Note du Traducteur.)

pesanteur, je ne me sens plus soumis — dès que je suis projeté sur le Continent — aux lois de la gravité britannique. Et, puisque je dois parler d'eux-mêmes à des gens auxquels je n'ai jamais été présenté, je me trouve plus libre de faire ce qui ne se fait pas, en donnant sur moi des précisions qui, de l'autre côté du Channel, paraîtraient déplacées.

Mon nom est Thompson.

William Marmaduke Thompson.

Ayant eu la bonne fortune de naître Anglais, j'avance dans la vie en sandwich, précédé de mes initiales et suivi de ce petit coussin où les royaux honneurs ont déposé, avec les ans, leurs alluvions : D. S. O.[1], C. S. I.[2], O. B. E.[3]

On ne saurait croire combien ces petites lettres de devant comme de derrière sont précieuses pour un Anglais : frontières inviolables de sa personne, elles le protègent tel

1. *Distinguished Service Order,* haute distinction militaire.
2. *The Most Exalted Order of the Star of India* (compagnon).
3. *The Most Excellent Order of the British Empire* (officier).

un waterproof d'honneur, elles le mettent à
l'abri, telle une housse douillette, de contacts
humains trop directs. Quand un Français
m'écrit une lettre adressée à « Monsieur
Thompson », j'ai la sensation de prendre froid
par le patronyme et d'être déshabillé en
public, ce qui est déplaisant : car, enfin, c'est
l'expéditeur qui commet une incorrection et
c'est moi qui me sens choquant.

Je ne voudrais pas que cette remarque fût
prise par les Français en mauvaise part. Si
j'ose parler d'eux franchement, c'est que je
les aime autant qu'ils aiment la Reine d'Angleterre : comment aimer mieux? Depuis le
jour où j'ai quitté l'armée et où, Ursula ayant
passé[1], j'ai établi ma principale résidence à
Paris, patrie de ma seconde épouse, j'estime
être doublement privilégié : je suis un Anglais
nourri à la française.

---

1. Traduction aussi littérale que possible de *passed
away*, expression que les Anglais préfèrent à « mourir »,
surtout lorsqu'il s'agit d'un être cher; Ursula était la
première épouse du Major. *(Note du Traducteur.)*

•

Les nombreux sports en marge desquels j'ai poursuivi mes études (sans jamais avoir l'impression de les atteindre) ne m'ont pas développé plus qu'ils ne le font de coutume avec mes concitoyens. Je suis de taille honorable, presque plus haut en couleur qu'en stature; la légère parenthèse de mes jambes trahit le cavalier. J'ai des yeux bleus tout ronds, qu'un état de perpétuel étonnement a fait peu à peu (surtout depuis que je suis en France) saillir de leurs orbites; un nez qui tourne court et qu'on ne semble pas, en vérité, avoir pris le temps de terminer, deux joues rebondies aussi luisantes que des pommes du Canada et dont l'incarnat compose, avec la ligne bleue de mes temporales et la barre blanche de ma moustache, un vivant rappel du pavillon britannique.

Quand j'aurai ajouté que mes incisives, quelque peu proéminentes, se reposent à l'air sur ma lèvre inférieure, ce qui tend à faire

croire aux gens non avertis (peu nombreux
en Angleterre, où cette déformation est assez
courante) que je ris sans cesse et suis plus
jovial encore que ma complexion ne le laisse
paraître, j'aurai honteusement abusé de ma
plume pour faire mon portrait. Mais il me
faut, sans plus tarder, parler du principal
sujet d'étonnement de ma vie, qui est le sujet
même de ces notes.

Ceci, je sais, paraîtra incroyable. Et pourtant, par saint Georges! c'est une vérité crue :
le soleil des Indes a cuivré ma peau; j'ai,
pour la sauvegarde de Sa Très Gracieuse
Majesté, rôti dans les sables brûlants de Mésopotamie; l'Intelligence (qui, en Grande-Bretagne, est plus appréciée comme Service que
comme qualité) m'a fait vivre, aux fins de
missions très confidentielles, dans le Bechua-
naland, en Palestine, chez les Afghans... Et
pourtant — aujourd'hui je peux bien le dire
— je ne me suis jamais senti aussi dépaysé
qu'à trente kilomètres de Douvres, dans ce
doux pays qui porte le glissant nom de France.

Que les fauves étirés de l'étendard royal

me lacèrent de leurs griffes si je mens : je me sens moins loin de Londres aux îles Caïmans[1] qu'à Angoulême, et les mœurs des guerriers maoris recèlent pour moi moins de mystère que le comportement dominical d'un bourgeois de Roubaix[2]. Tant il est vrai que, pour séparer les deux peuples les plus dissemblables du globe, le Tout-Puissant n'a jeté que quelques seaux d'eau...

En bref, à une époque où le monde semble saisi par le vertige de l'exploration et obnubilé par les hauteurs de l'Himalaya ou les profondeurs du Pacifique, il m'a paru assez urgent de découvrir la France.

P. S. — Je dois, pour ses méritoires efforts, des remerciements à mon collaborateur et ami, P.-C. Daninos, qui est si désolé de n'être pas Anglais, car c'était la seule façon pour lui

1. Petites îles anglaises des Antilles.
2. Le Major avait d'abord écrit : *Calais*. Je lui ai fait remarquer que ce nom, sous une plume anglaise, était mal choisi, les six chemises de nuit des bourgeois encordés flottant, ineffaçables, dans le ciel de l'Histoire. Le Major a bien voulu en convenir. « Roubaix, tout bien pesé, me dit-il, est plus exact. » *(Note du Traducteur.)*

d'avoir un peu d'humour alors qu'il en est réduit à traduire ma pensée. *Traduttore...* *traditore...* Puisse-t-il ne jamais me trahir, c'est ce que je souhaite sans trop y croire. D'abord, lorsque l'on a été ennemis héréditaires aussi longtemps, il en reste toujours quelque chose dans le subconscient (je l'ai bien vu avec son observation au sujet de Calais). Mais surtout, parlant l'anglais depuis vingt ans seulement, il croit le savoir. Il serait aussi présomptueux de ma part, sous prétexte que je fréquente les Français depuis un quart de siècle, d'affirmer que je les connais. Les seules personnes qui prétendent connaître à fond un tel pays sont celles qui, l'ayant traversé en quinze jours, ont pu le quitter avec une opinion de confection dans leur valise. Celles qui, au contraire, y demeurent, apprennent chaque jour qu'elles ne savent rien, quand ce n'est pas le contraire de ce qu'elles savaient déjà.

I

QU'EST-CE QU'UN FRANÇAIS?

Dans le secret de son cabinet de Harley Street, un de mes amis, réputé chirurgien du cerveau, ouvrit un jour un Anglais.

Il y aperçut d'abord un cuirassé de Sa Majesté, puis un imperméable, une couronne royale, une tasse de thé, un dominion, un policeman, le règlement du Royal and Ancient Golf Club de St. Andrews, un cold-stream guard, une bouteille de whisky, la Bible, l'horaire du Calais-Méditerranée, une nurse du Westminster Hospital, une balle de cricket, du brouillard, un morceau de terre sur lequel le soleil ne se couchait jamais et,

tout au fond de son subconscient tapissé de
séculaire gazon, un chat à neuf queues et une
écolière en bas noirs.

Moins épouvanté que conscient d'avoir
commis une regrettable indiscrétion, il ne fit
appel ni à Scotland Yard ni à la Brigade du
Vice : il referma. Et il fut obligé de convenir
que tout cela faisait un réellement bon
Anglais[1].

Je me suis souvent demandé ce que mon
ami trouverait s'il ouvrait un Français[2].

1. Le traducteur, au risque de choquer certains puristes
par des tournures de phrase peu françaises ou des angli-
cismes, s'est attaché, dans toute la mesure du possible,
à conserver au texte du major Thompson son parfum, il
allait dire son *flavour*, en s'en tenant à la traduction
littérale. En l'occurrence : *a really good Englishman.*
(Note du Traducteur.)

2. Une Sud-Africaine, ayant appris par son journal
la question que se posait le Major, a écrit au *Natal
Daily News* de Durban, qui a publié, le 20 janvier 1954,
l'étrange récit-réponse que voici :

« Je connais le chirurgien dont il est question et puis
confirmer les révélations du Major : j'étais la nurse et je
vis retirer les différents objets... Ce que le Major ne dit
pas, c'est que le chirurgien était Français; et ce qu'il ne
sait pas, c'est que je tombai amoureuse de lui. Or un
jour il dut être opéré lui-même du cerveau. A l'étonnement général, lorsque son crâne fut ouvert, on trouva
dix-neuf ex-présidents du Conseil, trois danseuses des
Folies-Bergère, une demi-boîte de camembert avancé.

By Jove!... Comment définir un Français?

La rituelle définition du Français qui mange du pain, ne connaît pas la géographie et porte la Légion d'honneur n'est pas tout à fait inexacte (quoique la Légion d'honneur, lorsqu'on s'approche de très près, ne soit parfois que le Ouissam Alaouite).

Mais elle est insuffisante.

Je suis effrayé à la pensée[1] que si mon ami ouvrait un Français il tomberait, saisi de vertige devant un abîme de contradictions.

Vraiment... Comment définir ces gens qui passent leur dimanche à se proclamer républicains et leur semaine à adorer la Reine d'Angleterre, qui se disent modestes, mais parlent toujours de détenir le flambeau de

une ligne Maginot entièrement terminée, sans parler de plusieurs camions emplis de francs dévalués. »

1. Même remarque que précédemment : le Major écrit : « *I am alarmed by the thought...* » Tournure de phrase appartenant à la même espèce que le fameux *I'm afraid...* si prisé des Anglais : quand, par exemple, un Anglais sait très bien qu'il a oublié quelque chose, il dit qu'il a bien peur de croire qu'il l'a oublié. Et si une dame qui vient de voir son mari la quitter pour aller à son bureau doit répondre au téléphone pour lui, elle dira le plus souvent : « *I'm afraid he's out* : j'ai peur qu'il soit parti. » *(Note du Traducteur.)*

la civilisation, qui font du bon sens un de leurs principaux articles d'exportation, mais en conservent si peu chez eux qu'ils renversent leurs gouvernements à peine debout, qui placent la France dans leur cœur, mais leurs fortunes à l'étranger, qui sont ennemis des Juifs en général, mais ami intime d'un Israélite en particulier, qui adorent entendre leurs chansonniers tourner en dérision les culottes de peau, mais auxquels le moindre coup de clairon donne une jambe martiale, qui détestent que l'on critique leurs travers, mais ne cessent de les dénigrer eux-mêmes, qui se disent amoureux des lignes, mais nourrissent une affectueuse inclination pour la tour Eiffel, qui admirent chez les Anglais l'ignorance du « système D », mais se croiraient ridicules s'ils déclaraient au fisc le montant exact de leurs revenus, qui se gaussent des histoires écossaises, mais essaient volontiers d'obtenir un prix inférieur au chiffre marqué, qui s'en réfèrent complaisamment à leur Histoire, mais ne veulent surtout plus d'histoires, qui détestent franchir une frontière sans passer en fraude un petit quelque chose, mais répugnent à *n'être pas en règle*, qui tiennent avant tout à s'affirmer comme des gens « auxquels on ne la fait pas », mais s'empressent d'élire un député pourvu qu'il leur promette la lune, qui disent : « En avril, ne te découvre pas d'un fil », mais arrêtent tout chauffage le 31 mars, qui chantent la grâce de leur campagne, mais lui font les pires injures meulières, qui ont un respect marqué pour les tribunaux, mais ne s'adressent aux avocats que pour mieux savoir comment tourner la loi, enfin, qui sont sous le charme lorsqu'un de leurs grands hommes leur parle de leur *grandeur,* de leur *grande* mission civilisatrice, de leur *grand* pays, de leurs *grandes* traditions, mais dont le rêve est de se retirer, après une bonne *petite* vie, dans un *petit* coin tranquille, sur un *petit* bout de terre à eux, avec une *petite* femme qui, se contentant de *petites* robes pas chères, leur mitonnera de bons *petits* plats et saura à l'occasion recevoir gentiment les amis pour faire une *petite* belote?

*

Ces conservateurs qui, depuis deux cents ans, ne cessent de glisser vers la gauche jusqu'à y retrouver leur droite, ces républicains qui font depuis plus d'un siècle du refoulement de royauté et apprennent à leurs enfants, avec des larmes dans la voix, l'histoire des rois qui, en mille ans, firent la France — quel damné observateur oserait les définir d'un trait, si ce n'est par la contradiction?

Le Français? Un être qui est avant tout le contraire de ce que vous croyez.

En admettant toutefois que je sois obligé de déterminer la marque dominante de leur caractère, je dirais sans doute : le scepticisme.

Mon vieil ami M. Taupin se dit très attaché aux institutions républicaines et pourtant, dès qu'un député termine un discours en rappelant les grands principes de 89, il sourit ironiquement. Il est clair qu'il n'y croit plus.

M. Taupin est un partisan convaincu de la paix. Pourtant, lorsque les représentants des grandes puissances se réunissent autour d'un tapis vert pour tenter de jeter, comme disent les architectes de presse, les bases d'un accord mondial et publient un communiqué qui tra· duit l'*identité de leurs points de vue*, il sourit encore, hoche la tête et me dit :

« Vous y croyez, vous? Pfuitt!... Des mots!... Toujours des mots! »

Envahi, occupé, opprimé, brimé, traînant derrière lui le spleen de 1900 et du franc-or, M. Taupin est un monsieur qui ne croit à rien, parce que, à son avis, il ne sert plus à rien de croire à quelque chose.

Il arrive aux Anglais, lorsqu'ils ont beaucoup attendu, de faire quelque chose. Comme ils pensent peu et réfléchissent encore moins, ils y croient.

Les Français ne croient pas à ce qu'ils font. Et d'abord à la Chambre des députés.

On dirait qu'ils ne fabriquent des députés que pour mieux les détruire. Il suffit que je passe en autobus avec M. Taupin devant la

Chambre pour qu'un sourire sarcastique
éclaire son visage.

Est-il royaliste? Non.

Bonapartiste? Pas davantage.

Aspire-t-il à la dictature? Il en a horreur.

So what?...

Il est un modéré dont l'esprit révolution-
naire se limite à le faire voter radical, et, s'il
est de très mauvaise humeur, radical-socialiste.
Mais il vote. Il a un député. Un député qui,
peut-être, au moment où l'autobus passe
devant la Chambre, invoque les principes
imprescriptibles de 89 et les Droits de
l'Homme. Pourtant il n'y croit pas, il n'y croit
plus. M. Taupin prétend qu'un homme n'est
plus le même une fois qu'il s'assied là, au
milieu de six cents autres. Il a peut-être raison. Il est clair, en tout cas, qu'il considère
ses représentants sans bienveillance, de ce
regard dont nous accablons un usurpateur qui
ose arborer une cravate noire à petites rayures
bleues sans avoir fréquenté Eton. A leur
mine, on peut juger que ses voisins pensent
comme lui. Jamais on ne pourrait croire que

ce sont les passagers de l'autobus qui ont envoyé à la Chambre les gens qui y sont assis. Ils
semblent vivre sur deux planètes différentes.

La conclusion est, en général, donnée par
un monsieur décoré :

« Ce qu'il nous faudrait, c'est un homme
à poigne, qui fasse un peu d'ordre là-dedans,
un bon coup de balai! »

On pourrait penser alors que ces gens
aspirent à la dictature. Erreur. Qu'un homme
à poigne se signale à l'horizon, qu'il parle de
réformer les institutions parlementaires, de
mettre de l'ordre, de faire régner la discipline
et, pour un satisfait, voilà mille mécontents.
On crie au scélérat. On stigmatise la trahison.
On veut égorger la République : ils ne pas-
seront pas. On en appelle à 89, et ce chiffre
dont riait tout à l'heure M. Taupin le rend
maintenant grave.

Un observateur impartial serait donc tenté
de croire que ce qui tient le plus au cœur
des Français c'est le suffrage universel,
l'expression de la volonté du peuple, les
institutions républicaines, en un mot la

Chambre. Mais il suffit de passer en autobus...
(*voir plus haut*).

*

On comprendra, dans ces conditions, que
la France soit un pays difficile à gouverner, le
pouvoir vous y échappant des mains à peine
l'a-t-on saisi. Pourtant les étrangers ont tort
de juger sévèrement les Français sur ce plan
en les taxant de versatilité. C'est là, à mon
point de vue, une preuve de bonne santé.

Beaucoup de pays perdent la tête parce
qu'il perdent leur gouvernement. Les Français, auxquels leurs gouvernements pourraient
bien faire perdre la tête, ont l'incomparable
mérite de la garder froide en cette occasion.
Exemple sans doute unique dans le monde,
la France possède un corps suffisamment
solide pour lui permettre de vivre sans tête
un mois sur quatre. Tandis qu'il est chez
nous une nécessité, le gouvernement est pour
la France un luxe que peuvent lui permettre
de s'offrir trois, quatre ou cinq fois par an la

solidité de son administration, et aussi ce fameux Bon Sens, grâce auquel cette admirable nation peut, sans perdre l'équilibre, s'engager dans les plus damnés chemins.

II

GENTIL PAYS DE LA MÉFIANCE... ET DE LA CRÉDULITÉ

LES Français croient assez volontiers que l'étranger vit les yeux fixés sur la France. C'est du moins ce que leurs journaux assurent lorsque, à la moindre crise, ils écrivent : *Chaque jour, l'étranger nous observe.*

Pour ma part, il m'est rarement arrivé de me poster au sommet des falaises de Douvres avant le début du jour pour voir, à la lorgnette, comment se lèvent[1] les Français.

1. Le Major avait d'abord écrit « comment se lavent » *(how they wash).* Son collaborateur lui a fait remarquer que les Français pourraient voir là une désobligeante allusion à la récente statistique qui a révélé qu'ils

Je trouve cela indécent. *Well*... Il y a sans doute de damnés étrangers qui passent leur temps à ça, je suppose...

Je me demandais encore comment était fabriquée cette étrange espèce d'étranger curieux, lorsqu'une nuit je le vis dans un de mes très rares songes : un pied au Kremlin, l'autre dans la City, la tête britannique, l'estomac russe, le subconscient germanique, le portefeuille américain, la mémoire emplie de Waterloos et de Sedans, il guettait la douce France de son regard international, plutôt mauvais...

Les Français sont persuadés que leur pays ne veut de mal à personne. Les Anglais sont méprisants; les Américains dominateurs; les Allemands sadiques; les Italiens insaisissables; les Russes impénétrables; les Suisses suisses. Eux, Français, sont gentils. On leur fait des misères.

Il y a deux situations pour la France :

employaient annuellement deux fois moins de savon de toilette que les Anglais.

« *Of course*, dit le Major, mettez « se lèvent », mais c'est encore plus *shocking!*.. *(Note du Traducteur.)*

Dominer le monde par son rayonnement (*conquêtes territoriales, développement des Arts et des Lettres*, etc.). Ce sont les grandes époques héroïques de la France rayonnante.

Ou bien être envahie, vaincue. Elle est alors foulée aux pieds, meurtrie, crucifiée. Ce sont les grandes époques héroïques de la France humiliée.

Le premier état satisfait chez le Français son orgueil et son besoin de grandeur. C'est son côté Napoléon. Il puise dans le second les forces irrésistibles du relèvement. C'est son côté Jeanne d'Arc.

Le Français imagine mal que l'on puisse — sans se méprendre — voir la France autrement qu'un rameau d'olivier en main, tendre proie à la merci de belliqueuses nations. L'observateur de bonne foi ne saurait manquer de trouver assez légitime cet état d'esprit, puisque, trois fois en moins d'un siècle, la France a subi les plus sauvages fureurs de la race teutonne; toutefois si, prenant le recul nécessaire à un jugement impartial, il abandonne les annales des quatre-vingts dernières années — une poussière dans le sablier de l'Histoire — pour étudier celles des siècles précédents, il est bien obligé de considérer qu'un Espagnol dont la ville fut mise à sac par les armées de Napoléon peut difficilement voir la France sous l'aspect d'une innocente persécutée. L'étranger devrait pourtant comprendre que, quand l'armée française entre dans le Palatinat ou à Saragosse, elle ne le fait pas exprès[1].

Persécutée par ses ennemis qui lui font la guerre, par ses alliés qui font la paix sur son dos, par le monde entier qui lui prend ses inventions (les Français ne savent qu'inventer pour se plaindre ensuite qu'on le leur a pris), le Français se sent également persécuté par les Français : par le gouvernement qui se paie

---

1. A ce passage, une vive altercation s'est élevée entre le Major et son collaborateur français.

« Dois-je comprendre de la même manière, lui dit celui-ci, que si votre honorable ancêtre, le major Raikes Hodson, au nom de Sa Très Gracieuse Majesté, exécute de sa propre main les trois fils du roi des Indes et qu'il envoie celui-ci mourir en exil à Rangoon, c'est pour leur bien?

— D'une certaine façon, définitivement : oui... », dit le Major. (*Note d'un témoin.*)

sa tête, par le fisc qui lui fait payer trop
d'impôts, par son patron qui paie bon marché
ses services, par les commerçants qui font
fortune à ses dépens, par le voisin qui dit du
mal de lui, bref, par *anybody*...

Cet état de menace où sans cesse il se croit
acculé semble le mobiliser dans un état per-
manent de *self-defense*. C'est ce qui ressort
clairement quand deux Français se demandent de leurs nouvelles. A l'étranger, on va
bien, on va mal, on va. En France : « On se
défend... »

Il y a dans le « Je me défends comme je
peux » du Français moyen le cas d'un perpétuel assiégé.

Qui donc investit le gentil Français?

Un mot très bref de son vocabulaire, sur
lequel mon si dévoué collaborateur et ami a
bien voulu attirer mon attention, m'a livré
la secrète identité des assiégeants : c'est *ils*.
Et *ils* c'est tout le monde : les patrons pour les
employés, les employés pour les patrons, les
domestiques pour les maîtres de maison, les
maîtres de maison pour les domestiques, les

automobilistes pour les piétons, les piétons
pour les automobilistes, et, pour les uns
comme pour les autres, les grands ennemis
communs : l'Etat, le fisc, l'étranger.

*

Environné d'ennemis comme l'Anglais
d'eau, harcelé par d'insatiables poursuivants
qui en veulent à son beau pays, à son portefeuille, à sa liberté, à ses droits, à son honneur, à sa femme, le Français, on le concevra
aisément, demeure sur ses gardes.

Il est méfiant.

Puis-je même dire qu'il naît méfiant, gran-
dit méfiant, se marie méfiant, fait carrière
dans la méfiance et meurt d'autant plus méfiant qu'à l'instar de ces timides qui ont des
accès d'audace, il a été à diverses reprises victime d'attaques foudroyantes de crédulité? Je
pense que je puis[1].

1. « Could I?... I think I could. » Même observation
que précédemment : la traduction littérale est parfois
la seule qui conserve au texte son cachet britannique.
(Note du Traducteur.)

De quoi donc se méfie le Français? *Yes, of what exactly?*

De tout.

Dès qu'il s'assied dans un restaurant, lui qui vit dans le pays où l'on mange les meilleures choses du monde, M. Taupin commence par se méfier de ce qu'on va lui servir. Des huîtres, oui.

« Mais, dit-il au maître d'hôtel, sont-elles vraiment bien? Vous me les garantissez? »

Je n'ai encore jamais entendu un maître d'hôtel répondre :

« Non, je ne vous les garantis pas! » En revanche, il peut arriver de l'entendre dire : « Elles sont bien... Mais (et là il se penche en confident vers son client)... pas pour vous, monsieur Taupin... (ou monsieur Delétang-Delbet ou monsieur Dupont) », ce qui constitue, surtout si M. Taupin est accompagné, une très flatteuse consécration.

D'ailleurs, M. Taupin sait très bien que, si les huîtres sont annoncées sur la carte, c'est qu'elles sont fraîches, mais il aime qu'on le rassure, et surtout il ne veut pas être pris pour quelqu'un à qui « on tire la jambe[1] ».

M. Taupin se méfie même de l'eau : il demande de l'eau fraîche comme s'il existait des carafes d'eau chaude ou polluée. Il veut du pain frais, du vin qui ne soit pas frelaté.

« Est-ce que votre pomerol est bien?... On peut y aller?... Ce n'est pas de la *bibine*[2], au moins! »

Good Lord[3]! Que serait-ce dans un pays comme le mien où se mettre à table peut être une si horrible aventure!

Ayant ainsi fait un bon (petit) repas, M. Taupin refait mentalement l'addition.

« Par principe », me dit-il, et parce qu'il ne veut pas qu'on la lui fasse *à l'esbroufe*[4]. Trop commode. S'il ne trouve pas d'erreur, il semble déçu. S'il en déniche une, il est furieux. Après quoi, il s'en va, plus méfiant que jamais, dans la rue.

Il y a quelque temps, comme je me rendais

1. *You're pulling my leg!* Littéralement : « Vous tirez ma jambe. » Locution anglaise qui veut dire : « Vous voulez me faire marcher! » *(Note du Traducteur.)*

2. En français dans le texte.

3. « Bonté divine! »

4. En français dans le texte.

gare d'Austerlitz (il faut bien y passer) pour
aller dans une petite ville du Sud-Ouest avec
M. Taupin, celui-ci m'avertit qu'il ferait une
courte halte dans une pharmacie pour acheter
un médicament dont il avait besoin.

« *Too bad!*... Vous êtes souffrant? deman-
dai-je.

— Non, pas du tout, mais je me méfie de
la nourriture gasconne.

— Ne pouvez-vous acheter votre médecine
sur place?

— On ne sait jamais, dans ces petites
villes... Je serai plus tranquille si je la prends
à Paris. »

A ma grande surprise, notre taxi dépassa
plusieurs pharmacies qui avaient tout à fait
l'air de pharmacies, mais en lesquelles
M. Taupin ne semblait pas avoir confiance.
Je compris alors le sens de cette inscription
française qui m'avait toujours laissé perplexe :
En vente dans toutes les bonnes pharmacies.
Celles que je venais de voir, évidemment,
c'étaient les autres.

Enfin, nous nous arrêtâmes devant la

bonne. En revenant à la voiture, un petit
flacon à la main, M. Taupin me dit, comme
pour s'excuser :

« Je me méfie plutôt de tous ces médica-
ments qui ne servent strictement à rien. Mais
ma femme, elle, y croit. Il n'y a que la foi
qui sauve... »

Comme nous gagnions la gare, je remarquai
que M. Taupin, inquiet, jetait de temps en
temps un coup d'œil sur sa montre. Il devait
se méfier de « son heure », car il finit par
demander au chauffeur s'il avait l'*heure
exacte*. Un Anglais ou un Allemand demandent : *What time is it?* ou *Wieviel Uhr ist es?*
et on leur donne l'heure. M. Taupin ne saurait se contenter d'une heure comme une
autre. Il veut l'*heure exacte*. L'heure de
l'Observatoire, de Greenwich, du Mont Pa-
lomar. En l'occurrence il parut tranquillisé
par l'heure du taxi-place qui ne différait pas
sensiblement de la sienne. Mais, arrivé à la
gare, il fit une ultime vérification dans la cour
en m'expliquant que les horloges extérieures
des gares avancent toujours de trois minutes

pour que les gens se pressent. M. Taupin mit donc sa montre à l'heure de la gare moins trois minutes, plus une minute d'avance pour le principe, ce qui lui fit perdre au moins soixante secondes.

Nous nous dirigeâmes ensuite vers notre train et nous installâmes à deux coins-fenêtre. Puis nous descendîmes faire quelques pas sur le quai, mais, auparavant, il marqua trois places de son chapeau, de son parapluie et de mon waterproof.

« Nous ne sommes que deux, lui fis-je observer.

— C'est plus sûr, me dit-il, les gens sont tellement sans gêne! »

Quant au train, je pensais M. Taupin rassuré puisqu'il avait consulté l'indicateur; pourtant, avisant un employé, il lui demanda :

« On ne change pas, n'est-ce pas, vous êtes sûr? »

Et, se tournant vers moi :

« Avec ces indicateurs, je me méfie... »

*

Il n'y a rien de tel qu'un compartiment de train pour voir surgir la fameuse hydre des *ils*. Je le savais, mais, cette fois, je fus gâté. Le monstre, à vrai dire, paraissait engourdi dans une somnolence générale lorsque, vers la fin de cette journée sombre et froide, la lumière électrique de notre wagon déclina.

« Ils pourraient tout de même, dit une petite septuagénaire à chaufferette, vérifier leurs wagons avant de les mettre en service! »

Jusque-là taciturnes, plutôt méfiants et sur leur quant-à-soi, occupés à lire leur journal ou celui des autres (*Vous permettez?...* *Merci bien...*), les cinq Français du compartiment, qui n'attendaient sans doute que le signal, ou plutôt le signe *ils,* du ralliement, partirent à l'attaque. Tel un ballon de rugby, le *ils* fut aussitôt repris par une dame cossue à voilette et petit chien (*Quand je pense qu'ils me font payer un billet pour cette pauvre petite bête!*) pour être rattrapé au vol et transformé en essai par l'ailier droit, un monsieur visiblement très sûr de lui, voyageant sous la protection d'une rosette, d'une chaîne d'or et d'un triple menton, lesquels furent agités de soubresauts par son rire goguenard.

« Pensez donc!... Mais ils s'en fichent, madame! Ils se fichent du tiers comme du quart...

— Sauf du tiers provisionnel..., intervint M. Taupin (pas mécontent du tout).

— Bien sûr!

— Pourvu qu'on paie!...

— Ils se f... du reste! »

La mêlée était devenue générale. Un vieil instinct sportif me faisait regretter de ne pas y participer. Réduit à mon rôle d'arbitre muet, je continuai à marquer les points et les *ils*.

« Si on avait un gouvernement...

— Il y en a un, mais c'est comme s'il n'y en avait pas.

— Ce qu'il nous faudrait, c'est un gouvernement qui gouverne...

— Vous en demandez trop!

— Un homme à poigne...

— Je te balancerais tout ça! Un bon coup de torchon!

— En attendant, ils sont là!

— Je pense bien! Et ils y restent!

— Ils ne pensent qu'à s'en mettre plein les poches!

— L'assiette au beurre!

— Et les voyages aux frais de la princesse... vous avez vu cette soi-disant mission parlementaire en Afrique Noire?... Pfuitt! Qui est-ce qui paie tout ça, je vous le demande un peu?

— C'est nous!

— C'est vous!

— C'est moi!

— Mais bien sûr! Ah! non, ils y vont fort! Quelle honte! Notre beau pays!

— Si riche!

— Et qui ne demanderait qu'à marcher!

— Ils finiront bien par le mettre à plat!

— Ils en seraient capables!

— Enfin, regardez... ce wagon, ça n'est

pas une honte? Quand je pense qu'il y a des
étrangers qui voyagent! Quelle opinion ils
doivent avoir! (Des yeux se tournèrent vers
moi comme pour s'excuser... « Que l'Angleterre nous pardonne! »...)

— J'écrirai à la compagnie...

— Vous pouvez bien leur écrire, allez!...
Ils ne la liront même pas, votre lettre! »

Comme le contrôleur passait à cet instant,
la dame au petit chien l'attaqua :

« C'est une honte, vous entendez, une
honte! Remboursez-moi mon billet!

— Si vous avez une réclamation à faire,
madame, dit l'employé, il faut écrire à la
S. N. C. F.

— Alors, vous, vous servez à quoi?

— Je contrôle les billets, madame... Votre
billet, s'il vous plaît! »

Le monsieur à rosette, qui brûlait d'inter-
venir, se jeta dans la bagarre :

« Je vous prie d'être poli avec madame!

— Je suis poli, monsieur, et d'ailleurs je
ne vous ai rien demandé. Votre billet, s'il
vous plaît!

— Eh bien, je ne le présenterai pas!

— C'est ce qu'on va voir... Si vous voulez jouer au plus fin...

— Ça, c'est trop fort! Vous me le paierez cher, mon ami[1]... Et d'abord (il fit sauter un porte-mine en or au bout de sa chaîne), laissez-moi relever votre numéro... »

Le monsieur se souleva vers la tête du contrôleur tout en ajustant son lorgnon, puis, léchant sa mine :

« ... Trois mille neuf cent quatre-vingt-sept... Eh bien, le 3987 ne perd rien pour attendre, je vous en fiche mon billet... que voici... en attendant mieux, mon ami, beaucoup mieux! »

Le contrôleur sourit, tranquille, et, clic-clac, poinçonna.

« Rira bien qui rira le dernier, dit la rosette...

— En attendant, présentons les billets, s'il vous plaît! »

De mauvais gré, les voyageurs, marmon-

---

1. Quand un Français dit « mon ami » à un autre Français de cette façon, c'est qu'il le considère déjà comme son ennemi. (*Note du Major.*)

nant, s'exécutèrent. Dès que l'employé eut refermé la porte du compartiment, la dame au chien dit dans un sifflement derrière sa voilette :

« Tss... Quel esprit! Jamais on n'aurait vu ça avant la guerre! Et ils sont tous comme celui-là!

— Pires, madame!

— Tout se tient, allez! »

Quelques instants plus tard, comme je prenais l'air dans le couloir, j'entendis le contrôleur confier à son collègue qui venait de le rejoindre :

« Je ne sais pas ce qu'ils ont aujourd'hui, mais ils ne sont pas à prendre avec le poinçon... Méfie-toi... »

*

Des contrôleurs qui se méfiaient des voyageurs, des voyageurs qui se méfiaient des contrôleurs, qui donc, dans ce train de France, train de la méfiance, était le plus méfiant?

Je me le demandais encore lorsque nous arrivâmes à destination.

Dois-je dire que M. Taupin se montra assez
méfiant, une fois descendu à l'hôtel, notamment pour le lit qu'il tâta, les draps qu'il
palpa, l'armoire qu'il ausculta? Je ne crois
pas que cette méfiance lui soit particulière.
Il est ainsi des millions de Français qui se
méfient des hôteliers, des additions, des
huîtres, des femmes qui les mènent par le
bout du nez, des militaires qui les font marcher en avant, des politiciens qui les font
marcher en arrière, des antimilitaristes qui
vendraient la France au monde, des institu-
teurs qui *bourrent le crâne*[1] de leurs enfants,
de leurs ennemis, de leurs amis, et, secrètement, d'eux-mêmes.

1. En français dans le texte

III

LE ROYAUME DE LA SUBDIVISION

LES livres de géographie et les dictionnaires disent : « La Grande-Bretagne compte 49 millions d'âmes », ou bien : « Les Etats-Unis d'Amérique totalisent 160 millions d'habitants. »

... Mais ils devraient dire : « La France est divisée en 43 millions de Français. »

La France est le seul pays du monde où, si vous ajoutez dix citoyens à dix autres, vous ne faites pas une addition, mais vingt divisions. Ce serait l'affaire d'un Freud bien plus que celle d'un major britannique que de montrer pourquoi ces guillotineurs de rois,

éternellement partagés, rêvent de Buckingham Palace et d'union nationale, cette chi-
mère inaccessible, dépeinte à longueur d'année comme la panacée seule propre à panser
toutes les plaies des Français déchirés. Il faut
au moins une guerre pour appliquer cette
prescription, qui porte alors le nom d'Union
sacrée. Les Français forment alors cent cinquante divisions, dont nous ne saurions vraiment nous plaindre puisque, ne pouvant se
battre entre elles, elles combattent l'ennemi
commun et nous permettent, suivant nos traditions, de *wait* encore un peu plus et de
see davantage...

Aussitôt la paix revenue, la France
reprend le combat. A l'ombre de ses frontons
qui prônent l'Egalité et la Fraternité, elle
s'adonne en toute liberté à l'un de ses sports
favoris, peut-être le plus populaire avec le
cyclisme : la lutte de classes. Ne voulant pas
concurrencer les experts, je leur laisserai le
soin d'exposer l'évolution de ce sport à travers
les âges, ses règles, ses tendances. Une chose,
cependant, m'a frappé :

— Le piéton américain qui voit passer un milliardaire dans une Cadillac rêve secrètement du jour où il pourra monter dans la sienne.

— Le piéton français qui voit passer un milliardaire dans une Cadillac rêve secrètement du jour où il pourra le faire descendre de voiture pour qu'il marche *comme les autres* [1].

Quant à énumérer toutes les divisions qui séparent les Français, j'y renonce. Une indication seulement : quand un Français se réveille nudiste à ‚Port-de-Bouc, on peut tenir pour certain qu'un autre Français se lève antinudiste à Malo-les-Bains. Cet antagonisme

1. En français dans le texte. *(Note du Traducteur.)*
Une des expressions favorites des Français avec le *Faites comme tout le monde...* (généralement suivi de : *attendez!*)
A force d'entendre dire : « Faites comme tout le monde », on pourrait croire qu'en France tout le monde fait comme tout le monde. Mais il n'y a pas un pays au monde où tout le monde semble autant ne vouloir faire comme personne, et où les gens, assoiffés d'égalité, soient plus férus de passe-droits : coupe-file, billets de faveur, etc. *(Note du Major.)*
On remarquera avec quelle prudence le Major évite de parler du piéton anglais qui est, sans doute, beaucoup trop correct pour rêver dans la rue. *(Note du Traducteur.)*

pourrait s'arrêter là. Mais non. Le nudiste
fonde une association qui nomme un Président d'honneur (lui) et un Vice-Président.
Celui-ci, s'étant querellé avec le précédent,
fonde un Comité néo-nudiste, plus à gauche
que le précédent. De son côté, l'antinudiste
ayant pris la tête d'un Jury d'honneur,... etc.

Le même processus a lieu aussi bien pour
la politique que pour le ski. On vient de
lancer la mode des skis courts. Aussitôt, la
France qui skie s'est scindée en anticourts et
antilongs. Il y a dans chaque Français un
« anti » qui dort, et que réveille le moindre
« pro ». C'est ce qui explique l'inextricable
puzzle des groupes politiques français. Comment un Anglais normalement constitué,
c'est-à-dire tout juste apte à différencier un
conservateur d'un travailliste, pourrait-il saisir les capitales nuances qui séparent un
gauche républicain d'un *républicain de
gauche,* ou un député d'*Union républicaine
et d'action sociale* d'un député d'*Action républicaine et sociale?* Réellement, je ne puis[1].

1. Traduction littérale de *Really, I can't. (N. D. T.)*

*

Incapable d'examiner les cent mille divisions des Français (dont on sait pourtant qu'ils ont horreur de couper les cheveux en quatre), je me contenterai d'étudier celle qui partage la France de chaque jour en deux camps : les fonctionnaires, qui assurent passer toujours après les autres et être traités *par-dessous la jambe*[1]; les non-fonctionnaires, qui prétendent que tout le mal vient des fonctionnaires.

Le résultat, c'est que tous les jours, sauf le dimanche — jour de trêve où, du reste, les Français avouent eux-mêmes qu'ils s'ennuient —, 42 millions de citoyens sont dressés contre le 43e.

A première vue l'infériorité numérique semblerait condamner les fonctionnaires. Mais il ne faut jamais juger les choses à première vue en France. Sans cesse on perce de nouveaux mystères et l'on finit par comprendre mieux pourquoi ces gens sont incompréhensibles.

1. En français dans le texte.

Le citoyen qui pénètre dans un commissariat de police, une caisse de Sécurité sociale, une mairie, me fait penser à un archer prêt à partir pour la guerre de Cent Ans. Armé de mauvaise humeur et pourvu de sarcasmes, il est d'avance certain qu'il n'obtiendra pas gain de cause, qu'il va être promené du bureau 223 de l'entresol au guichet B du troisième étage, du troisième étage au commissariat de police, du commissariat à la préfecture, jusqu'à ce qu'il apprenne qu'un nouveau règlement le dispense du certificat demandé pour en exiger un autre, qui est le même que le précédent, mais nécessite des formalités différentes.

En face de cet assaillant, auquel le vocabulaire administratif, comme pour l'indisposer d'avance, donne le nom de *postulant*[1], se trouve l'employé fonctionnaire, souvent couvert d'une housse blafarde et de vêtements qu'*il met pour les finir*[2].

Contre le mur de son indifférence (*J'en*

1. En français dans le texte.
2. En français dans le texte.

*vois d'autres... Si vous croyez être le seul!... Ce
n'est pas moi qui fais les règlements...)* viennent s'émousser une à une les flèches des atta-
quants les plus belliqueux, voire les plus
décorés *(Vous aurez de mes nouvelles, mon
ami[1]... J'ai le bras long!).* A cet instant le
monsieur au bras long sort de son portefeuille
une carte barrée d'un trait rouge que personne n'a le temps de voir, mais qui produit
son effet sur le public. Il semble que le bras
long du monsieur, passant par-dessus la petite
tête du fonctionnaire, perce les murs, traverse
la Seine et entre chez le ministre, qui révo-
que le fautif.

A l'abri derrière son guichet, le fonctionnaire reste froid : il possède sur l'assiégeant
la confortable supériorité des gens assis à la
terrasse des cafés sur ceux qui passent. Et il
a l'avantage du terrain. Il se sent même d'autant plus chez lui qu'il a sous la main une
petite boîte ou un petit panier (les femmes
surtout) où il range ses petites affaires :
ciseaux, tricot, gâteau, berlingots, parfois
même le petit timbre qui manquait et que

l'on avait cherché par mégarde à sa place.

Est-ce parce que mes lettres sont souvent destinées à de lointains pays? Leur poids est tel que l'affranchissement ne fait jamais un compte rond : la demoiselle m'annonce que j'ai à payer 93 francs, 112, ou 187 et, si elle trouve assez facilement le premier timbre de 50 francs et le second de 30, elle doit parfois chercher le complément dans la « chemise » d'un collègue — à moins qu'elle ne le découvre dans sa fameuse petite boîte. (J'ai noté que les demoiselles des postes ont une prédilection pour les vieilles boîtes à cigares. *Good heavens*[1]!... Quel damné chemin peut bien suivre une boîte de cabanas avant de terminer sa carrière comme nécessaire à ouvrage sur la table d'une auxiliaire des P. T. T.?)

*

Il arrive que les combattants soient séparés par une plaque de verre percée, à certaine

1. « Juste Ciel! »

hauteur, d'une dizaine de petits trous. Je
croyais d'abord que ces trous étaient destinés
à laisser passer les projectiles auditifs. Mais
non. Ils sont disposés de telle sorte que jamais
la bouche de l'employé et celle du postillon-
nant postulant ne se trouvent en même temps
à leur hauteur. Les opposants en sont réduits
à crier plus fort. Il arrive aussi qu'une petite
ouverture soit ménagée à la base de la plaque
de verre, au niveau de la tête du préposé.
L'assaillant doit alors courber la sienne dans
un mouvement qui le place déjà en état d'infériorité.

A travers ces fentes, ces trous, ces guichets,
le Français consacre une précieuse part de
son existence à prouver qu'il existe, qu'il
habite bien là où il habite, et que ses enfants,
n'étant pas décédés, sont en vie.

On pourrait croire qu'un Français, n'étant
pas mort, vit. C'est une erreur. Aux yeux de
l'Administration, il ne vit pas. Il lui faut
d'abord un acte de naissance, ensuite un certificat de vie, quelquefois les deux. (Il est
vrai que depuis peu le certificat de vie a été

remplacé par une attestation de non-décès.
Les Français aiment décidément jouer sur
les mots, même quand il s'agit de mots avec
lesquels il ne faut pas jouer.)

Ayant prouvé noir sur blanc, si l'on peut
s'exprimer de façon aussi funèbre, qu'il est en
vie, le Français doit prouver bien davantage
si, voulant aller en Grèce, il désire un passeport. Aussi étrange que cela paraisse, le
voyage d'un Français en Grèce commence chez
sa concierge, qui a qualité pour lui délivrer
sur l'heure — ou plus tard suivant son
humeur — le « certificat de domicile » dont
il a besoin. Un Français majeur ne saurait en
effet certifier lui-même qu'il habite là où il
demeure. Il lui faut, pour ce faire, le sceau
de sa concierge, ce petit doigt de Scotland
Yard. Il aura ensuite tout loisir d'exhumer de
vieux souvenirs en cherchant son livret militaire, qui n'est généralement plus à la place
où il l'avait laissé dix ans plus tôt.

Il y a quelque temps, je rencontrai M. Taupin comme il se rendait au commissariat de
police. Il avait besoin d'une nouvelle carte

d'identité. Un observateur naïf penserait que
M. Taupin, honorablement connu dans son
quartier depuis trente-cinq ans, n'a pas besoin
de quelqu'un d'autre pour affirmer qu'il est
bien M. Taupin. Erreur. M. Taupin, pour
dire qu'il l'est, doit se munir de deux témoins.
On suppose que ces deux témoins doivent le
connaître de longue date. Nouvelle erreur.
Les témoins chargés de dire qu'ils le connaissent ne le connaissent absolument pas, mais
sont connus du commissaire. Il s'agit en général du *bistrot*[1] et de l'épicier qui se font avec
le commerce quotidien des témoignages de
gentils petits à-côtés[2].

C'est l'aspect *bonne franquette*[1] de ce doux
pays où un sourire fait mollir le gendarme,
où la loi présente toujours un petit point
faible par lequel elle se laisse prendre, et où

1. En français dans le texte.
2. Une dispute dont on percevait les signes précurseurs
a éclaté à cet instant entre le Major et son collaborateur
français, celui-ci lui ayant fait observer que la lenteur
des services publics britanniques était proverbiale, et l'indifférence des fonctionnaires au moins égale à celle de
leurs collègues français. « Lenteur, j'admets, dit le
Major. *But not indifference,* dites plutôt flegme, *you
know...* » (*Note d'un témoin.*)

la stricte application du règlement est consi-
dérée comme une sanction : ce qui importe
avant tout, c'est la forme. Je l'ai compris à la
minute même de mon arrivée en France, à
Calais, en entendant un douanier désabusé
dire avec un savoureux accent auvergnat à un
voyageur qui avait commis deux infractions :

« Chi cha continue, vous jallez m'obliger à
appliquer le Règlement... »

IV

LE PAYS DU SHAKE-HAND

Pour les Français — et pour beaucoup d'autres peuples — le pays du shake-hand, c'est l'Angleterre[1].

M. Taupin, qui tient toujours, malgré ce que je lui ai dit maintes fois, à me mettre dans les courants d'air, se croit également obligé de me serrer la main avec une force redoublée parce que je suis Anglais, Anglais du pays du shake-hand.

En vérité, si le vigoureux shake-hand anglais est une image chère aux romans poli-

1. *Shake-hand* étant un terme américain, l'Angleterre ne saurait être que le pays du *hand-shake,* ce qui serait aussi faux. *(Note du Major.)*

ciers français qui se déroulent en Angleterre
pour faire plus vrai, le pays de la poignée de
main, c'est la France.

Il s'est passé un peu avec le shake-hand ce
qui est arrivé avec la table : les Anglais ont
appris au monde la façon de se tenir correctement à table. Mais ce sont les Français qui
mangent. Les Anglo-Saxons ont, de même,
trouvé un nom très évocateur pour la poignée
de main. Mais ce sont les Français qui se la
serrent. Ce genre de contact plutôt barbare
est, chez nous, réduit au minimum. Une fois
que nous avons donné la main à quelqu'un,
il n'a plus guère à attendre de ce côté pour
le reste de la vie.

Un statisticien dont les calculs m'inspirent
la plus grande confiance, car il n'appartient
à aucun institut de statistique et sait limiter
sagement ses incursions aux environs de certains chiffres sans s'attaquer aux chiffres eux-
mêmes, a calculé qu'un Français de moyenne
importance, tel que M. Taupin ou M. Charnelet, passe (environ) trente minutes par jour,
soit plus d'une année d'une vie de soixante

ans, à serrer des mains à neuf heures, à midi,
à deux heures, à six heures. Cela, bien entendu, sans parler des mains des gens qu'il
ne connaît pas, des visiteurs, des parents, des
amis, ce qui sans doute porterait le total
annuel à trois semaines de poignées de main
et, pour la vie, à trois années. Si l'on considère que ce travailleur du poignet passe
(environ) trois heures par jour à table et huit
au lit, on arrive à conclure que le Français ne
vit, dans le sens anglais, c'est-à-dire correct,
du mot, que trente ans sur soixante, ce qui
est insuffisant[1].

1. Un débat des plus orageux, dont on a pu croire
un moment qu'il allait mettre fin à leur association, a
mis à cet instant aux prises le trop galopant Major et
son collaborateur français, un peu monté.

« Votre façon de vivre, lui dit celui-ci, est simplement
mortelle!

— Les Anglais, rétorqua le Major, aiment mourir en
vivant ainsi...

— Pourquoi alors êtes-vous venu vivre en France?

— Ceci, dit le Major, est une autre histoire... Admettez
en tout cas que les Anglais perdent moins de temps à
table que vous...

— Ils en perdent encore trop pour ce qu'il y a dans
leur assiette, estima le Français. Et d'ailleurs, c'est faux :
vous prenez trois repas par jour alors que nous n'en
prenons que deux, et les statistiques prouvent bien que
vous absorbez plus de calories!

(Suite de la note page 62.)

*

Pour en revenir à la poignée de main, qui est chez nous à peu près standardisée depuis mille ans, elle possède chez les Français de nombreuses nuances : elle peut être chaleureuse, amicale, condescendante, froide, fuyante, sèche. Il y en a qui estiment n'avoir serré une main qu'après vous avoir broyé les phalanges. D'autres conservent votre main comme s'ils ne voulaient plus vous la rendre, et s'en servent pour appuyer leur raisonne-

— Cela vient du fait, reconnu, que notre combustible est de première qualité, dit le Major.
— Et le thé? a interrogé alors le Français.
— *What about the* thé? s'est étonné le Major.
— Oui, avez-vous calculé qu'un Anglais qui prend son *early morning tea* à six heures du matin, son thé au *breakfast*, son thé au bureau vers onze heures (*eleven's*), son thé au déjeuner, son thé au thé, enfin son thé avant de se coucher passe (environ) quatre ans de sa vie en face d'une théière, qui n'est au fond qu'une chinoiserie? »
Le Major, déjà très rouge, a préféré alors quitter la pièce pour éclater dans la plus stricte intimité. Il n'est revenu qu'une heure plus tard, avec son sang-froid, et après s'être vengé en allant ingurgiter une *cup* de son breuvage favori dans un *English tea-room* de la rue de Rivoli. *(Note d'un témoin.)*

ment avant de tout laisser tomber. Il en est
qui vous mettent votre main au chaud entre
les leurs. Il y en a qui, au contraire, semblent
vous glisser un pannequet[1] tout tiède et mou
dans la paume, ce qui est désagréable. D'autres ne donnent que trois doigts, deux doigts,
ou le bout d'un seul. N'importe : ils donnent
quelque chose, on doit le prendre. Je vois
souvent des Français faire des prodiges d'équilibre et d'acrobatie en plein milieu d'un bou-
levard sillonné de voitures pour faire passer
dans la main gauche ce qu'ils ont dans la
main droite et, au risque de se faire cent fois
écraser, donner leur dextre à une personne
qui les laissera en général indifférents, mais
parfois morts.

Je regardais l'autre soir un critique dramatique terminer à la hâte l'article que son
journal attendait. Des amis s'approchaient,
hésitaient un instant, puis, comme pris de
vertige, tombaient sur lui la main en avant.

1. On notera que le Major, voulant sans doute aplanir
le récent incident, a fait une élégante concession en
employant la forme française de *pancake*. *(Note du Traducteur.)*

C'était plus fort qu'eux — et surtout que lui.
Cinq fois en cinq minutes je le vis serrer la
main de gens qui lui avaient dit : « Je vous
en prie... ne vous dérangez pas! » mais l'eus-
sent jugé *bien distant ce soir-là* [1] s'il n'avait
emmêlé ses feuillets et abandonné son stylo
pour leur dire bonsoir. Car les Français sont
sur ce chapitre d'une extrême susceptibilité.
Quelqu'un notera tout de suite :

« Tiens!... Il ne m'a pas serré la main!.. »

Et le voici cherchant aussitôt dans sa vie
de la veille le détail qui lui a échappé et qui
a pu blesser son supérieur. Ou bien : « Il ne
m'a pas serré la main comme d'habitude » ...,
ce qui est également grave. Mais l'offense des
offenses c'est de ne pas prendre une main et
de la laisser pendre. Quand un Français dit :
« Je lui ai refusé la main! » il en dit autant
que nous lorsque nous déclarons : « Je l'ai
coupé mort [2]. »

1. En français dans le texte.
2. Traduction littérale de « *I cut him dead!* » (*Note du Traducteur.*)

*

Lorsqu'un étranger vit longtemps en
France, il prend vite l'habitude de serrer
toutes les mains qui sont à portée de la
sienne. De sorte qu'aujourd'hui, quand je
retourne en Angleterre, mon avant-bras reste
machinalement tendu dans le vide. Mes
compatriotes ne savent qu'en faire. *Too bad...*
car, s'il est aisé de tendre une main, il est
beaucoup plus gênant de la retirer quand
personne n'en veut. L'autre jour, dans Gros-
venor Square, un Anglais compatissant m'a
pris la main, mais à la réflexion ce devait
être un hasard, ou un étranger.

En vérité, le petit peu d'eau qui sépare
l'Angleterre du Continent n'a pas été pour
rien surnommé bras de mer ou Manche.
C'est, à n'en pas douter, la frontière du bras.
Huit lieues de mer, et la main que l'on tend
n'est plus celle que l'on baise, et le bras qui
bougeait doit demeurer tranquille. Les Anglais, dès cet âge le plus tendre où ils se

montrent déjà si durs, apprennent à vivre les coudes au corps : à pied, à cheval, à table.

Regardez un Anglais manger. C'est à peine si vous voyez son bras remuer. On dirait qu'il ne mange pas (peut-on dire, d'ailleurs, qu'il mange?) et que ses aliments sont portés au palais par l'Intelligence Service. Il y aurait un planisphère du geste à dresser. On verrait que le bras humain, immobile à Bornemouth, commence à bouger à Calais, s'agite à Paris, et tourne frénétiquement à Rome, où il devient l'hélice de la pensée.

*

Mais ce n'est pas dans la seule façon de se dire bonjour que les Français semblent si étranges à leurs voisins. La suite est aussi étonnante.

Quand un Anglais rencontre un autre Anglais, il lui dit : « Comment allez-vous? » et il lui est répondu : « Comment allez-vous? »

Quand un Français rencontre un Français, il lui dit : « Comment allez-vous? » et l'autre commence à lui donner des nouvelles de sa santé.

A première vue, la méthode britannique paraît loufoque. Mais à la réflexion elle est peut-être plus rationnelle que la méthode française. En effet, dans le premier cas, personne n'écoute personne. Mais dans le second, à quelques exceptions près, le Français n'écoute pas ce qu'on lui répond. Ou il est en bonne santé, et la santé des autres lui importe peu; ou il est grippé, et sa grippe seule est importante. *Exemple :*

« Toujours ma sciatique...

— Ah!... la sciatique! Figurez-vous que moi, c'est le long de la jambe gauche... En 1951 j'avais été voir un spécialiste... encore un! Vous ne savez pas ce qu'il me dit?... »

... Et le Français qui souffre, souffre davantage encore d'avoir à taire sa sciatique 54 pour écouter la névrite 51 de l'autre. Il en est ainsi avec les bonnes histoires, les accidents d'auto, les chutes, les affaires, de telle sorte que l'on peut dire d'une façon générale que les Français ne s'intéressent chez eux

qu'à ce qui ne les intéresse pas chez les autres.
Bien sûr, cet égoïsme dans la conversation ne
leur est pas propre; on peut en dire autant
des autres peuples. C'est vrai. Et c'est faux.
Les Anglais s'intéressent aussi peu à leur
prochain que les Français. Mais, ne posant
jamais de questions personnelles sur les maux
d'estomac, l'impétigo ou le foie (l'ennemi
intime n° 1 des Français), ils n'ont pas à ne
pas écouter la réponse.

S'étant ainsi enquis de leur santé respec-
tive, de celle de leurs proches, et des enfants
(*Photos?... Superbes!... Mais je vais vous
montrer les miens...*), les Français passent au :
Qu'est-ce que vous devenez [1]?

A l'encontre des Anglais, qui ne se posent
jamais une question aussi angoissante, les
Français veulent absolument savoir ce qu'ils
deviennent. C'est-à-dire qu'en une minute
il faut leur dire si l'on ne divorce pas, si l'on
n'a pas déménagé et surtout si l'on est...

... toujours au Crédit Lyonnais...

1. En français dans le texte.

... ou aux Assurances Réunies...

... ou à la Compagnie des Pétroles...

Comme si l'interlocuteur s'étonnait de ce que l'on vous y garde aussi longtemps.

Après cet inventaire, au cours duquel on n'a pas manqué de se lamenter sur le mauvais sort qui vous poursuit et la bonne fortune qui atteint les autres, il est d'usage de faire un rapide retour sur la santé avec un : *Enfin, vous avez la santé, c'est le principal, allez!*

La conversation continue pendant quelques instants encore pour se terminer sur le non moins traditionnel : *Il faut que je me sauve... Allez, au revoir, allez!*

J'ai demandé à plusieurs autochtones la raison de l'emploi quasi rituel du mot « Allez! » Personne n'a pu m'éclairer vraiment. Je pense qu'il s'agit d'une sorte de moyen de locomotion invisible sur lequel aime partir le Français en quittant un autre Français. *Really most peculiar*[1]...

---

1. « Réellement très bizarre. »

Heavens! J'entends mon thé qui siffle. Doux appel auquel ne saurait résister même un très francophile Anglais. Je dois voir. Et j'en resterai là pour le moment. Cela suffit, allez...

V

POLIS OU GALANTS?

Les écoliers français savent tous qu'à la bataille de Fontenoy le commandant des gardes françaises, M. d'Anterroches[1], s'avan-

---

1. Le Major avait d'abord écrit « d'Auteroche ». Mais le vicomte J. d'Anterroches, descendant du comte d'Anterroches, capitaine aux gardes françaises et héros de la bataille de Fontenoy, lui a fait savoir qu'il n'était pas douteux, d'une part, que le fameux « Messieurs les Anglais, tirez les premiers! » avait été prononcé par son vaillant ancêtre et non par M. d'Auteroche; et, d'autre part, qu'au XVIIIe siècle « *le français, étant la langue communément parlée par les personnes de qualité, ne devait pas être étranger à des officiers anglais* ».

Sur le premier point, le Major donne volontiers raison au vicomte d'Anterroches, lequel s'appuie notamment sur les *Mémoires* du maréchal de Saxe qui font foi. Le Major ne disposait pour sa documentation que du *Précis du*

çant seul vers les Anglais, se découvrit et leur
cria :

« Messieurs les Anglais, tirez les premiers! »

Les écoliers anglais savent tous qu'à la
bataille de Fontenoy le commandant des
gardes anglaises, *Milord* Hay, s'avançant
seul vers les Français, se découvrit et leur
cria :

« Messieurs les Français, tirez les premiers! »

Quant aux experts — partagés de naissance — ils ne se trouvent, bien entendu,
pas d'accord, ce qui est leur métier. Pour certains, ces mots ont été prononcés à l'adresse
des Français par un de leurs chefs qui, voyant
surgir les Anglais d'un brouillard tout britannique, se serait écrié (avec la ponctua-
tion) :

siècle de Louis XV, de Voltaire, et des récits de deux
témoins oculaires, le marquis de Valfons et le chevalier
de Roburent, capitaine aux gardes françaises : or ces
trois auteurs parlent de monsieur, ou du comte, d'Auteroche.
  Sur le second point, le Major est plus réticent et per-
siste à croire que ses distingués compatriotes ne compre-
naient pas plus le français en 1745 que maintenant.
(Note du Traducteur.)

« Messieurs!... Les Anglais!... Tirez les premiers! »

D'autres y voient une ruse de guerre classique à cette époque, les stratèges français estimant qu'il était préférable de laisser l'ennemi épuiser ses premières cartouches pour mieux l'attaquer ensuite.

Un grand nombre reste fidèle à la version classique de l'aimable invitation, bien française, et doublement *gallant*[1]...

Je crois toutefois équitable de rappeler brièvement le récit d'un témoin français, le marquis de Valfons, qui a écrit : « Les officiers anglais ayant fait approcher leurs hommes jusqu'à quatre-vingts pas de la ligne française s'arrêtèrent, firent vérifier l'alignement et, mettant le chapeau à la main, saluèrent les officiers français qui, à leur tour, se découvrirent. » *(Extraordinaire, isn't'it, ce que l'on savait vivre et mourir correctement à cette époque.)* « ... Ce fut alors que Milord Hay, s'avançant seul, la canne à la main, jus-

1. Jeu de mots du Major, *gallant* voulant dire à la fois « courageux » et « galant ». *(Note du Traducteur.)*

qu'à trente pas de la ligne française, se découvrit de nouveau et dit au comte d'Auteroche[1] :

« Monsieur, faites tirer vos gens! » A quoi M. d'Auteroche répondit : « Non, monsieur, nous ne commençons jamais. »

Il y eut pourtant bien quelqu'un qui commença. Sinon il n'y aurait pas eu de bataille de Fontenoy et ce serait *too bad* pour les experts. Leur honorable compagnie voudra-t-elle bien laisser un ex-major de l'armée des Indes donner son avis? A mon sens, il est possible — je ne voudrais pas faire de peine

1. Le Major, tenant à respecter le légitime désir du vicomte d'Anterroches, avait écrit *d'Anterroches,* mais un M. d'Auteroche, descendant du comte d'Auteroche, et montant sur ses grands chevaux, lui a fait savoir au même instant que son ancêtre se trouvait bel et bien à Fontenoy, que rien ne prouvait *a priori* qu'il n'eût pas prononcé les historiques paroles et que, du reste, le marquis de Valfons parlait du *comte d'Auteroche.*

« *Le moins que l'on puisse dire,* écrit M. d'Auteroche, *est qu'un doute subsiste quant aux droits d'auteur des mots fameux.* »

Le Major en a convenu, se promet bien de ne plus jamais mettre son nez dans ce guêpier, et, tout compte fait, se range à l'avis d'un expert français, Othon Guerlac, qui écrit dans un recueil de citations : « *La conclusion à tirer des versions divergentes au sujet de Fontenoy est que ce sont bien les Anglais qui nous ont invités à tirer les premiers.* » (Note du Traducteur.)

aux Français — que quelqu'un ait crié aux
troupes de Milord Hay : « Messieurs les
Anglais, tirez les premiers! »

... Mais il est hautement improbable[1] que,
dans les rangs anglais, quelqu'un ait compris.
Chacun sait que, le monde entier *English
speaking,* le privilège de l'Anglais est de ne
comprendre aucune autre langue que la
sienne. Et même s'il comprend, il ne doit en
aucun cas s'abaisser à le laisser croire.

Une étude objective de la vérité conduit
donc un observateur impartial à considérer
qu'il s'agit là encore d'un de ces mots historiques uniquement créés à dessein de faire
mieux assimiler les dates et les tableaux
synoptiques aux écoliers. Les mots les plus
durables étant naturellement ceux qui sont
fabriqués de toutes pièces — surtout quand
il s'agit d'artillerie.

En la circonstance, le mot de Fontenoy
semble tout entier sorti des Forges de l'Histoire française spécialisées dans le laminage à

---

1. *Highly improbable,* locution qu'affectionnent les
Anglais pour dire « tout à fait impossible ». *(N. D. T.)*

froid des formules héroïco-galantes telles que :
« *Tout est perdu fors l'honneur...* » ou :
« *Madame, si c'est possible c'est fait; impossible, cela se fera*[1]. »

Chez nous, les Aciéries Historiques de Birmingham et Leeds, bien qu'également renommées pour le laminage à froid, se sont plutôt spécialisées dans la noble simplicité : « *L'Angleterre compte que chacun fera son devoir* » (Nelson avant Trafalgar), et le mot satirique et hautain, tel que : « *Je ne donnerais pas un damné penny pour savoir ce qu'il est advenu des cendres de Napoléon!* » (Wellington), ou : « *Ce que la France m'a le mieux appris, c'est de mieux apprécier l'Angleterre*[2] » (Johnson).

Les deux fabrications marchent toujours bon train et se concurrencent sans danger. Elles sont, en effet, destinées principalement à la consommation intérieure. Je n'ai pas

1. Calonne à Marie-Antoinette.
2. A l'évocation de ce mot, une assez vive explication a eu lieu entre le Major et son collaborateur français, qui lui dit notamment : « L'une des choses que j'apprécie le plus quand je voyage à l'étranger, c'est de penser que je vais retourner en France. » *(N. D. T.)*

trouvé trace de la version française de Fontenoy dans les livres scolaires anglais et je n'ai
jamais vu une histoire de France rapporter le
mot de Wellington.

*

Si j'ai commencé à parler de la légende de
Fontenoy, c'est qu'elle symbolise à merveille,
sinon l'esprit de bravoure galante des Français, du moins celui qu'ils veulent avoir. Tout
le monde sait bien que l'on n'a pas le temps,
dans les batailles, de prononcer de si jolies
paroles. Les combattants font parler le canon.
Ce sont les historiens qui font ensuite parler
les combattants.

Je ne voudrais pas que l'on vît dans ces
propos la moindre attaque contre les historiens. Chacun son métier. Ils font le leur à
merveille. Mon collaborateur et ami, M. Daninos, qui fut un long moment, lors de la dernière guerre, attaché à mon *Royal Battalion*
comme agent de liaison, me dit un jour, en
pleine retraite des Flandres, combien il
regrettait de se trouver au cœur de la bataille.

Je crus d'abord (et j'en fus gêné) qu'il eût
préféré être chez lui. Mais non. En tant
qu'écrivain il ne se consolerait jamais de ne
pouvoir décrire ce choc gigantesque aussi bien
que ceux de ses confrères qui n'auraient pas
été dans le feu du combat.

Cela semble paradoxal et pourtant c'est
tout à fait vrai. Libéré des servitudes qui
paralysent le combattant, telles que la peur
du sous-officier ou même de l'ennemi, l'histo-
rien peut seul dominer le débat, laisser tomber les petites morts sans importance, et donner au récit le panache et le liant nécessaires.

By Jove! Voilà qu'en parlant des gens qui
doivent prendre du recul pour traiter un
sujet je me suis éloigné du mien. Je reviens
donc à Fontenoy. Je serais finalement tenté
de croire que le « Messieurs les Anglais, tirez
les premiers! » est la forme historique de
l'*Après vous, je vous en prie...* bien français.

A la vérité, on ne saurait considérer que
des gens qui ne mangent pas les coudes au
corps, qui gesticulent en parlant, qui parlent
en mangeant, et souvent de ce qu'ils man-

gent, qui, loin d'attendre que les dames aient
quitté la table, s'empressent dès le potage
de distiller devant elles les histoires les plus
gaillardes, qui se croient obligés de faire la
cour à votre femme, qui jugent incorrect
d'arriver à 8 h 30 quand ils sont priés à 8 h 30,
qui s'embrassent en public, qui s'embrassent
entre hommes, qui ne semblent jamais avoir
fini de se boutonner dans les rues à Paris et
tiennent des conversations aux arbres dès
qu'ils vont à la campagne, qui ne songent
jamais à tenir la chaise d'une femme pendant
qu'elle s'assied à leur table, qui osent qualifier un monsieur d'assassin parce qu'il a tué
quatre personnes alors que la police ne l'a
pas encore prouvé, qui adressent la parole à
des inconnus, notamment en voiture, sans y
avoir été forcés par un accident, qui ne
savent pas faire infuser du thé, qui ne comprennent rien au cricket, qui essaient de passer devant les autres dans une file d'attente,
qui considèrent comme un exploit de prendre
avec leur voiture une rue en sens interdit,
qui sortent sans parapluie sous prétexte qu'il

ne pleut pas, qui traitent ouvertement dans
leurs journaux un de nos jeunes lords d'homo-
sexuel quand il est si simple d'écrire qu'il a
importuné des jeunes gens, qui essaient de
passer par les portillons automatiques du
métro pendant la fermeture, qui parlent de
la maîtresse d'un monsieur avant de parler
de sa femme, qui rient des pieds du Président
de la République s'ils sont trop grands (voire
de ceux de la Présidente), qui utilisent des
cure-dents à table, ce qui pourrait passer
inaperçu s'ils ne se croyaient pas obligés de
mettre leur main gauche en paravent devant
leur bouche, qui sont plus pressés de raccrocher l'appareil que de s'excuser quand ils
ont obtenu un faux numéro de téléphone,
enfin, qui mettent leurs habits neufs le dimanche (à l'exception, peut-être, de quelques
Lyonnais et aussi de certains Bordelais de
ma connaissance chez lesquels il est resté un
vieux fond d'Aquitaine britannique), on ne
saurait dire que ces gens soient véritablement
civilisés ou même polis, du moins dans le sens
anglais du mot, c'est-à-dire le bon.

Je n'en prendrai pour preuve finale que
leur comportement à l'égard des femmes :
quand un Anglais croise une jolie femme
dans la rue, il la voit sans la regarder, ne se
retourne jamais et continue à la voir correctement dans son cerveau; très souvent, quand
un Français croise une jolie femme dans la
rue, il regarde d'abord ses jambes pour voir
si elle est aussi bien qu'elle en a l'air, se
retourne pour avoir une meilleure vue de la
question, et, *eventually*[1], s'aperçoit qu'il suit
le même chemin qu'elle.

Polis, les Français? Plutôt *galants!* De
damnés hardis *galants*[2].

*

Il faut cependant leur rendre cette justice :
ce sont les champions de l'*Après vous, je n'en
ferai rien*[2].

Les Français, qui, on l'a vu, consacrent une
partie appréciable de leur journée à la poi-

1. Non pas « éventuellement », mais dans ce cas « finalement ».
2. En français dans le texte.

gnée de main, passent également un temps
considérable à se prier réciproquement d'entrer dans leurs maisons. Les uns prient les
autres d'entrer, les autres jurent qu'ils n'en
feront rien. Les premiers disent : « Moi non
plus. » Et, de fil en aiguille, les Français ont
passé (environ) trois siècles et demi depuis
Charlemagne sur le pas de leurs portes. On est
même étonné d'en trouver quelques-uns chez
eux.

Je dois le confesser : j'ai toujours trouvé
étrange l'attraction exercée sur les Français
par le pas des portes. Ils ont notamment,
arrivés à cet endroit, une façon de se dire au
revoir en ayant soin de ne pas se quitter dont
on chercherait en vain l'équivalent dans le
Commonwealth, et sans doute dans le reste
du monde. Au moment même où ils doivent
se séparer après avoir causé pendant deux
heures, ils trouvent une quantité de choses
capitales à se dire. C'est un peu ce qui se
passe avec les femmes au téléphone : il suffit
qu'elles se disent « au revoir » pour trouver
soudain à parler d'une foule de sujets.

J'ai été plus particulièrement frappé par cette attitude le jour où, de retour en France après une longue mission en Mésopotamie, je crus être l'objet d'une hallucination; j'aperçus en effet mon vieil ami M. Taupin dans la position exacte où je l'avais laissé six mois auparavant : sur le seuil de sa maison, il disait toujours au revoir à M. Charnelet. La fréquentation du désert m'ayant accoutumé aux mirages, je n'en crus d'abord pas mes yeux. Discrètement, je me rapprochai. Je vis alors M. Taupin reculer de quelques pas, lever les bras en l'air et revenir d'un air menaçant sur M. Charnelet, qu'il saisit par le revers de son manteau et commença à secouer d'avant en arrière. Il était évident, pour un Anglais du moins, qu'ils allaient en venir aux mains. Mon sang de major ne fit qu'un tour. Je m'apprêtais à les séparer lorsque je les entendis éclater de rire. A ce moment, ils me reconnurent.

« Ma parole, cria M. Taupin, mais voilà notre major Thompson de retour! Quelle surprise! »

Je compris alors que mes yeux ne m'avaient pas trahi. M. Taupin m'invita aussitôt à entrer chez lui et M. Charnelet, lui ayant dit une nouvelle fois au revoir, nous rejoignit bientôt pour faire, après tout, un *petit brin de causette*[1].

1. En français dans le texte.

VI

LE CAS DU COMTE
RENAUD DE LA CHASSELIÈRE

LES Anglais possèdent deux produits d'une
exceptionnelle valeur : leurs tweeds et leurs
silences. La moelleuse épaisseur des premiers
n'a d'égale que la noble consistance des
seconds, et je suis prêt à payer dix bouteilles
de *scotch* à tout explorateur qui trouverait
dans le monde une qualité de silence comparable à celle que tissent, dans un club de
St. Jame's Street, une quinzaine de gentlemen
plongés dans la somnolente lecture du *Times*.
On entendrait le roi des pickpockets voler.

Les Français, qui affirment volontiers que

le silence est d'or, devraient donc admettre
sans acrimonie que l'Angleterre est un pays
riche. C'est dans la conversation surtout que
nos silences sont le plus remarquables. Voilà
pourquoi, sans doute, les *aliens*[1] éprouvent
tant de difficulté à nous entendre.

Comment diable les Anglais parviennent-
ils à se taire tout en parlant?

Par l'*and eûh*[2]...

L'*and eûh*, trame maîtresse de la conversation silencieuse, est une des plus vieilles
et respectables traditions britanniques. De
temps en temps, dans un salon, un Anglais
parle. Il peut arriver — tout arrive — que
l'on ait affaire à un bavard. En ce cas il
s'arrête, constate que personne ne lui répond,
si ce n'est par des grognements, et répond
lui-même. Avec ce genre d'individu qui coupe
ses monologues en deux, un étranger peut

1. *Etrangers*, mais le terme d'étranger traduit mal la
curieuse sensation d'inconfort et le véritable complexe
d'infériorité que donne à son destinataire le mot *alien*.
« *So you're not a British subject, you're an alien...* »
Et le visiteur se sent aussitôt mal à l'aise, pas comme les
autres, peut-être atteint de maladie contagieuse... (*Note
du Traducteur.*)

2. Prononcer *enn'deux*. (*Note du Major.*)

avoir l'impression d'un dialogue. Mais un Anglais bien élevé, c'est-à-dire tout court, s'arrête très vite de parler. Il observe alors une pause. Puis, du fond de sa gorge, monte, caverneux, le *and eûh*...

Chez d'autres peuples, le *eûh*... fait présager une suite. Chez l'Anglais, non. La suite peut venir. Généralement, elle ne vient pas. A vrai dire, on ne sait pas exactement ce qu'elle devient. Une chose est sûre : elle sort très peu. C'est la réserve, la discrétion même.

Est-ce à dire que les Anglais ne parlent pas? Non, bien sûr, ils parlent — mais d'une façon si différente de celle des Français! En France, où l'on brille par la parole, un homme qui se tait, socialement se tue. En Angleterre, où l'art de la conversation consiste à savoir se taire, un homme brille par son côté terne.

Prenez, par exemple, le temps.

Les Français sont peut-être des maîtres dans la conversation, mais ce sont des enfants lorsqu'il s'agit de parler du temps. C'est là une spécialité dont les Anglais sont les rois incontestés. Il faut d'ailleurs rendre cette

justice aux Français qu'ils ne cherchent en
aucune façon à faire concurrence à leurs voisins sur ce plan. En France, parler de la
pluie et du beau temps, cela revient à avouer
que l'on est incapable de parler d'autre chose.
En Angleterre, c'est un devoir sacré et la
marque d'une sérieuse éducation. Pour être
un vraiment bon Anglais, il faut d'abord
savoir parler du temps, du temps qu'il fait,
du temps qu'il fit, du temps qu'il pourrait
faire... Un mot revient plus que n'importe
quel autre dans la conversation, un mot clef,
un mot roi : *weather..., rainy weather...,
cloudy weather..., dreadful weather..., stormy
weather..., incredible weather!* Il est probable
qu'à l'origine du monde le temps fut conçu,
en partie, pour permettre aux Anglais d'en
parler. En vérité, il n'y a pas un seul pays où
l'on en parle autant. C'est peut-être pourquoi
il y fait si mauvais. L'impressionnante dépense
de vocabulaire météorologique qui se fait
chaque jour en Angleterre doit perturber
l'atmosphère.

Mais ce n'est pas là, il s'en faut, la seule

différence qui sépare les Anglais du Français
dans la conversation.

En France, on exagère le moindre incident.
En Angleterre, on minimise la plus grande
catastrophe. Si un Français arrive à un dîner
avec une heure de retard parce qu'il s'est
trompé de jour, il parlera toute la soirée de
son invraisemblable aventure. Si un Anglais
arrive quelques minutes en retard parce que
le toit de sa maison s'est effondré, il dira qu'il
a été retenu par une *slight disturbance*[1].

En Angleterre, on ne laisse jamais la vérité
sortir nue dans les salons (ce n'est d'ailleurs
qu'un des nombreux aspects de notre hypo-
crisie). En France, plus on est cru, plus on est
cru. En Angleterre, on se garde de faire en
public des allusions à la vie privée des gens :
no personal remarks. En France, au contraire,

1. « Léger contretemps. » C'est là une des mille formes
que prend l'*understatement* si cher aux Britanniques.
Au lendemain d'un des plus terribles bombardements
nocturnes de la guerre, le major Thompson me dit avec
le sourire : « *We had a bit of a picnic last night!* »
« Nous avons eu un petit pique-nique la nuit dernière! » (*Note du Traducteur.*)

on s'engouffre dans l'intimité du voisin avec voracité.

Je sais bien que nous ne sommes pas des tendres. Je sais que notre *historical cruelty* nous a fait commettre, surtout à la hauteur du 16e degré de latitude sud, de très vilaines choses[1]. Je sais aussi qu'en Angleterre comme ailleurs les gens sont médisants et que deux femmes ne s'entendent généralement bien que sur le dos d'une troisième.

Et pourtant je ne connais peut-être rien de plus cruel — si l'on excepte les mœurs de certaines nations du Continent encore barbares — qu'un salon français.

Je n'en apporterai ici pour preuve que l'étrange histoire du comte Renaud de la Chasselière.

*

J'avais été prié à dîner chez des gens du nom de Pochet. Il y avait là une quinzaine de personnes qui, d'abord, parlèrent de choses et

1. Le Major a-t-il voulu faire allusion à Sainte-Hélène, aux Boers ou aux îles Fidji, tous trois situés à peu près à cette hauteur? Il a été impossible d'obtenir de lui plus de précisions. *(Note du Traducteur.)*

d'autres. C'est-à-dire de tout. Au consommé,
il fut question de cinéma. Puis nous eûmes
des truites existentialistes, un poulet C. E. D.,
une salade aux Quatre Grands et un entremets soucoupes volantes. Avec les Français, la
conversation avance à une allure vertigineuse.
Ils vous font sauter de la bombe H aux bal-
lets Roland Petit, et du Kremlin chez les
Patino, avec une telle désinvolture qu'un
major de l'armée des Indes éprouve plus de
difficultés à les suivre qu'un tigre dans la
jungle du Bengale. Et quels tireurs, *Goodness!*
Même avec son Winchester 375 Express, mon
ami, le colonel Basil Cranborne [1], tenu pour
le meilleur fusil de l'Assam, n'obtiendrait pas
les mêmes résultats. Quand on est pris sous
leur feu, on n'en réchappe pas.

Pour dire les choses comme elles sont, ou
plutôt comme elles étaient, le siège du comte
Renaud de la Chasselière commença au salon
vers 22 h 30. A cet instant le comte, absent,
était, à mes yeux du moins, entier. Je savais

1. V. C., O. B. E., C. S. I.; ex-officier du 70th Burma
Rifles *(Note du Major.)*

de lui qu'il occupait un poste assez important au Quai d'Orsay et qu'il avait eu pendant la guerre une brillante conduite.

A 22 h 35, un coup de semonce tiré par M. Pochet : « Vous savez qu'il n'est pas plus comte que moi! » fit sauter sa couronne.

A 22 h 40, il ne s'appelait plus *de la Chasselière,* nom qu'il avait, paraît-il, emprunté sans le lui rendre à un lieudit proche de sa gentilhommière de Sologne, mais simplement Renaud...

« Et encore... pas avec un *d,* précisa un des tireurs, mais non : *lt!*

— Comme la 4-chevaux? demanda quelqu'un.

— Mais oui!

— Ça! » fit, avec une moue, l'indiscutable baron de Leaumes.

Le comte était déjà fortement entamé lorsque, à 22 h 50, un monsieur bien informé révéla qu'en fait il n'était au *Quai* que par raccroc, n'ayant pas passé le Concours des Affaires étrangères.

A 22 h 55, une dame fit mouche par la

bande en chuchotant que la comtesse *était tout ce qu'il y a de quelconque*[1]...

Ce coup feutré fut suivi presque aussitôt par le feu nourri d'un convive qui n'avait pas encore tiré et prit, si j'ose dire, le comte à revers pour dévoiler que ce père de quatre enfants n'en avait pas moins *des mœurs*... *enfin bref*...

Je ne sais ce qui me poussa alors... peut-être cette vieille manie anglaise de donner toujours sa chance dans un combat à l'homme qui a le dessous... Pour combler le handicap du comte, sachant sa belle conduite pendant la guerre, je me permis de lancer, telle une bouée :

« Mais la guerre... N'a-t-il pas fait quelque chose pendant la guerre?...

— La guerre, comme tout le monde! dit quelqu'un. Et après?... »

Des Anglais ne m'auraient pas pardonné cette maladroite initiative pour faire rebondir la conversation et je ne pus que regretter

1. En français dans le texte.

d'avoir, pour une fois, trahi ma langue mater-
nelle : le silence.

A 23 heures exactement, le comte Renaud
de la Chasselière tombait, anéanti.

Triste histoire, sans doute.

Moins triste, cependant, si l'on pense qu'à
la même heure, et à un kilomètre de là, le
comte Renaud de la Chasselière et quelques
éminents praticiens, au cours d'une séance
parallèle de vivisalonsection, amputaient le
baron de Leaumes, les Pochet et quelques
autres de leurs meilleurs titres — au point
qu'à minuit il n'en restait plus rien.

VII

LES LOIS DE L'HOSPITALITÉ
ET DE LA GASTRONOMIE

LES Français peuvent être considérés comme
les gens les plus hospitaliers du monde,
pourvu que l'on ne veuille pas entrer chez
eux.

Beaucoup d'étrangers, venus quelque temps
en France, rêvent de vivre dans une famille
française. Après maints essais infructueux,
j'ai constaté que le meilleur moyen d'y arriver — à moins de s'engager comme nurse au
pair, ce qui, on l'avouera, comporte quelques
aléas pour un major britannique, même en
kilt — est de s'établir sur place, trouver une

Française qui veuille bien de vous et fonder sa famille soi-même. C'est ce que j'ai fait.

Au bout d'une heure, un Anglais dont vous venez de faire la connaissance vous invitera — si vous ne l'avez pas choqué par un excès d'intelligence ou de curiosité — à passer le week-end dans son cottage. Au bout de cinq ans, vous vous apercevrez que vous ne savez pas très bien s'il aime les femmes, les hommes ou les timbres-poste.

Au bout d'une heure, parfois avant, un Français vous a expliqué comment et pourquoi il a été amené à délaisser de temps en temps sa femme qui est, vous fait-il remarquer en passant, *très gentille, un ange*[1], *mais voilà... vous savez ce que c'est...* (comment me permettrais-je de savoir?). Au bout de dix ans, vous constaterez que vous n'avez jamais passé une nuit sous son toit.

Lorsque je me rendis pour la première fois à Lyon, M. Taupin m'avertit :

« Attention... la société lyonnaise est très fermée... Mais prenez patience, quand on

1. En français dans le texte.

vous connaîtra un peu, vous serez reçu partout! »

Il s'agissait, me précisa-t-il, d'une tendance particulière aux Lyonnais. Mais on me prévint de la même façon (chaque fois en soulignant le caractère purement local de cet état d'esprit) à Bordeaux, à Lille, à Marseille et même à Mazamet. *Most important*, Mazamet. Vous pouvez bien connaître Paris, Roubaix, Toulouse et Carcassonne, vous ne connaîtrez pas la France si vous ignorez Brisbane-sur-Arnette, je veux dire Mazamet, capitale du mouton au pays du bas de laine. Là comme ailleurs il me fut dit, devant de nobles hôtels particuliers aux façades austères :

« Une fois qu'ils vous auront adopté, vous verrez, ils vous recevront comme l'un des leurs! »

Encore un de ces cercles vicieux dont ce sain pays est prodigue : pour être reçu il faut être connu, et pour être connu il faut être reçu. L'essentiel avec ces sociétés très fermées, c'est de commencer à entrer. Il ne faut pas, comme disent les Limousins qui ont oublié leur clef, *rester fermé dehors*[1].

Combien de temps au juste peut durer cette période d'observation — j'allais parler d'incubation? On ne saurait le dire avec exactitude. Certains assurent : six mois... un an. Il y a là une grande exagération. Cela peut durer une dizaine, une vingtaine d'années. Le mieux est donc de prévoir jusqu'à la seconde génération, qui commencera à être reçue, à recevoir et à devenir, elle aussi, très fermée.

*

Il existe, je dois le dire, une grande différence entre la province et Paris.

En province, on vous avertit tout de suite que *c'est très fermé;* on vous cite l'exemple d'un homme d'affaires d'Europe centrale qui a fait le siège de Bordeaux pendant sept ans sans pouvoir opérer une trouée; ou le cas d'une famille d'Oran qui a attendu un demi-siècle avant de voir les portes s'ouvrir (et qui

1. Locution à rapprocher du *finissez d'entrer* également employé par les Limousins à l'adresse de quelqu'un qui s'incruste sur le pas de la porte. *(Note du Major.)*

est devenue, à son tour, *très fermée*). Finalement, tout de même, vous êtes reçu.

A Paris, vous n'êtes pas reçu du tout : on
vous sort.

L'effet produit par l'arrivée des Nicholson
ou des Martinez sur leurs amis parisiens est
rather curious. Je me trouvais par hasard
chez les Daninos le jour où un coup de téléphone leur apprit l'imminente arrivée — je
crois bien qu'ils parlèrent de *débarquement*[1]
— des Svensson qui les avaient hébergés
quinze jours durant à Stockholm. L'annonce
d'une catastrophe n'eût pas provoqué plus
d'accablement.

« Il va falloir les emmener partout! »
entendis-je.

... Et, devant la perspective de cette
épreuve, je sentis mes hôtes terriblement ten-
tés de ne les emmener nulle part. En fin de
compte, le dîner « à la maison » ayant été
reporté à une date ultérieure, les Svensson
furent conviés *à prendre un verre* dans un
café des Champs-Elysées pour être, après

1. Le Major a, hélas! bien cru. *(Note du Traducteur.)*

quelques jours d'atermoiements, conduits
dans quelques-uns de ces sanctuaires d'art et
de plaisir où les Parisiens s'aventurent rarement sans mentors étrangers.

Je dois dire, à la décharge des Français en
général, et des Daninos en particulier, que
l'appétit des Svensson est monumental. Je
ne parle pas de la table (quoique beaucoup
d'étrangers qui, chez eux, mangent trois fois
rien, chez les Français, dévorent), mais des
pierres... Gunnar Svensson est un formidable
avaleur de pierres. J'avais toujours eu tendance à croire que l'estomac suédois était à
peu près conçu sur le même modèle que les
autres. C'est une erreur. L'absorption du
Sacré-Cœur, par exemple, sembla pour lui
un hors-d'œuvre.

« *Nous devons maintenant*, dit-il, *voir
Catacombes.* »

Si les Catacombes étaient à Florence,
M. Daninos les aurait sans doute déjà visi-
tées trois fois. Mais, habitant Paris depuis
quarante ans, il ne les connaissait pas encore.
(Il se rappelait seulement qu'un jour — **il**

avait sept ans — son père lui dit : « Si tu es
sage, je t'emmènerai dimanche aux Catacombes. » Il ne dut pas être sage, car il n'y
mit jamais les pieds.)

Mes hôtes essayèrent bien de détourner
Gunnar de son projet.

« Si nous allions plutôt prendre un verre
place du Tertre? »

Mais non. Les étrangers ont quelquefois
des idées fixes. Gunnar voulait ses Catacombes. Allez donc faire perdre le nord à un
Suédois!

« C'est facile, lui dit son hôte, je vais vous
y conduire. »

Avouer ne pas connaître les Catacombes,
pour un Parisien, c'est vexant. Mais ne pas
savoir même où aller les chercher, c'est épou-
vantable. Sous prétexte d'acheter des cigarettes, mon collaborateur et ami s'éloigna un
instant, disparut, avisa un agent. « Dites-moi,
pour aller aux Catacombes? » L'agent réflé-
chit, hésita, sortit son mémento. Ils se seraient
serré la main. Entre Français.

*

Quant à l'hospitalité proprement dite, je crois, tout bien pesé, qu'il est plus facile à un Américain d'entrer dans les salons de Buckingham Palace que de déjeuner chez les Taupin. On lui dit dès son arrivée : « Il faut absolument que vous veniez déjeuner avec nous, mais si, mais si! » Et puis les semaines passent; il y a un imprévu, les enfants sont malades, la cuisinière a donné ses huit jours. Et, finalement, le Parisien emmène l'étranger avide de couleur locale dans un *american grill room,* où le menu n'est même pas rédigé en français comme aux U. S. A.

J'exagère, sans doute... *Well...* Quand on reste plus de six mois en France, je l'admets, on finit par être invité à déjeuner dans certaines familles. En ce cas, on vous avertit :

« Ce sera *à la fortune du pot*[1]. »

Cette fortune-là, d'une minceur squelettique en Angleterre, prend, en France, les

1. En français dans le texte.

formes les plus généreuses. Elle éclaire même
tout le problème : car on comprend, lorsque
l'on voit les Français vous recevoir à la fortune du pot en mettant les petits plats dans
les grands, pourquoi cette improvisation doit
être, comme celle d'un Honorable membre
des Communes, préparée de longue date.
Jamais une maîtresse de maison ne parvien-
drait chez nous à ce résultat sans un travail
de plusieurs mois. Toute la question est donc
de savoir s'il vaut mieux être invité tout de
suite par des Anglais, ou attendre six mois
pour être prié par des Français. Pour ma part,
je penche en faveur de la seconde solution.
Good Lord! C'est tellement bon que ce n'est
plus du tout mauvais d'avoir attendu.

Il ne suffit pas que la fortune du pot français soit pantagruélique : on vous met sans
cesse l'eau à la bouche avec des plats qui
n'apparaissent pas sur la table. Au moment
où, dégagé des obligations du savoir-vivre britannique, j'ose parler de ce que je mange et
m'extasie devant un gigot de pré-salé à
l'anglaise, M. Taupin s'écrie :

« Ah!... si vous étiez venu il y a trois semaines, on vous aurait fait goûter un de ces faisans, mais un de ces faisans!...

— Plus exactement une poule faisane... tu te rappelles, Tounet[1]? Elle était d'un dodu... oh!... et fondante... et puis, vous savez, pas trop faisandée, juste ce qu'il fallait, oh!... Major... »

Les Français ont une telle façon gourmande d'évoquer la bonne chère qu'elle leur permet de faire entre les repas des festins de paroles. C'est un incomparable plaisir pour un étranger d'en être le contemplatif convive. Sur leurs lèvres, les seuls noms de Pommard ou de Château-Margaux naissent si riches, si veloutés — comme déjà chambrés — qu'ils vous livrent d'un coup les trésors fluides de la Bourgogne et les secrets du cépage bordelais...

En l'occurrence, le faisan... pardon : la poule faisane, était là, épandant au-dessus de la table son fumet de venaison. Pourtant,

1. Diminutif de Gaston employé par Mme Taupin. *(Note du Major.)*

c'était du gigot. Succulent, je dois dire. Seulement, avec ces gens-là, on a vite la papille étourdie...

Quand un pays possède tant de bonnes choses, il ne devrait pas exister d'époque pour chacune. Seule une mémoire d'autochtone peut permettre de savoir sur le bout de la langue ce calendrier gastronomique. Je n'ai, et n'aurai sans doute jamais, un tel privilège. Je l'ai compris dès mon premier voyage dans ce pays. Lorsque j'arrivai à Castelnaudary :

« Vous venez un peu tard pour mes petits foies frais, Major, me dit le père Piquemolles... Mais je peux vous faire un bon petit cassoulet avec un confit d'oie que vous m'en direz des nouvelles[1]... Il se mange pas : il se tète[2]!

— Oh! *yes,* Mister Païkmoll's... un bon petit cassoulet... »

Comme j'étais descendu ensuite dans les Pyrénées :

---

1. Sic.
2. Re-sic.

« C'est encore un peu tôt pour la palombe, Major, me dit M. Cabrioules, mais qu'est-ce que vous diriez d'un petit cuissot d'isard?

— Oh! *yes*, Mister Kaybrioul's, *a little* cuissot d'isard... »

Et partout où j'allais, partout, on ne me faisait goûter de bonnes choses que pour m'en faire regretter de meilleures. O merveilleux pays, si différent du mien où, comme l'on mange toute l'année les mêmes choses de la même façon, le regret, comme l'espoir, est déplacé.

VIII

MARTINE ET URSULA

J'ai connu dans ma vie un bouleversement comparable à ce que dut être pour la Terre le plissement hercynien ou l'effondrement des Colonnes d'Hercule. Le jour où Martine me dit :

« J'aime ces petits poils argentés dans ta moustache... »

C'était le long de la Seine, par une de ces matinées ensoleillées de mars où le ciel bleu pastel de l'Ile-de-France, jouant les printemps clandestins, commence son flirt avec la pierre grise de l'Institut. Je sentis le monde

basculer, le corset des convenances victo-
riennes craquer : je tombais *definitely* dans
l'univers sentimental des Latins. Je n'étais
plus l'honorable major W. M. Thompson.
D. S. O., C. S. I., O. B. E. J'allais devenir le
mari de Martine Noblet, *vous savez, cet*
Anglais incroyable avec une moustache
blanche[1]...

Parler à un homme de détails aussi per-
sonnels que sa moustache ou le grain de
beauté qu'il a sur la joue, n'est pas, outre-
Manche, une chose qui se fait. (Il y a, en
Angleterre, tellement de choses qui ne se font
pas qu'un visiteur peu averti pourrait croire
l'amour du nombre.) Il m'aura fallu venir et
vivre en France pour apprendre enfin, dans
le détail, ma géographie. Je veux parler de
mon atlas personnel, de ces caps et de ces
vallées dont Ursula se préoccupait si peu et
dont Martine a fait un relevé aussi tendre
qu'exact. Jamais Ursula ne m'aurait tenu un
tel langage topographique; je me souviens
encore des termes qu'elle employa, dans les

1. En français dans le texte.

mêmes circonstances, comme je ne me décidais pas à parler moi-même :

« Nous deux... après tout... Qu'est-ce que vous en pensez?... »

C'est après de folles déclarations de ce genre que les Anglais se marient.

C'est ainsi que j'épousai Ursula.

A vrai dire, ce n'est pas tant l'amour qui nous unit, que la passion du cheval qui nous rapprocha.

La première fois que j'aperçus Ursula (il y a des femmes que l'on devrait seulement apercevoir), elle montait *Lazy Lassie* au Horse Show de Dublin. Sur ce parcours qui, avec ses obstacles fixes, est l'un des plus durs du monde, elle avait une façon de marcher plein train et de tourner dans un mouchoir qui tirait l'œil le moins expert. L'art consommé dont elle fit montre pour négocier l'oxer[1] était

1. *To negotiate the oxer*, « négocier l'oxer » (ou *to negotiate the hills*, « savoir prendre les côtes »), expression dont les sportsmen anglais ont toujours été friands. Certains chroniqueurs hippiques français commencent eux-mêmes à employer ce terme, quoique Napoléon n'eût pas manqué de voir là, une fois encore, la marque d'une « nature de boutiquiers ». (*Note du Major.*)

encore plus significatif. Avec sa bombe de
chasse, sa veste noire très ajustée, ses culottes
de peau blanche et ses bottes à revers, elle
avait vraiment fière allure. La remise de la
Coupe d'Or me permit de la féliciter. Elle
me parla des Indes et de la façon de chasser
le sanglier à la lance[1]. Nous dûmes bientôt
nous séparer, mais une sympathie était née,
et lorsque, quelques semaines plus tard, pendant la saison de la chasse au renard, je la
retrouvai au *Quorn meet*[2], nous fûmes portés
tout naturellement l'un vers l'autre. En cette
fin d'automne somptueuse, la campagne et
les bois du Leicestershire resplendissaient
encore de leurs ors et de leurs rousseurs. Fut-
ce la beauté de cette nature ou plutôt l'évocation de nos souvenirs hippiques? Nous nous
attardâmes et perdîmes la chasse. En traver-
sant le petit village de Ratcliffe, nous fîmes
une halte au Marlborough Arms pour y

1. Le *pig-sticking* est une chasse très prisée des Anglais
aux Indes.
2. Le *Quorn meet* est, avec le *Pytchley*, un des rendez-
vous les plus traditionnels de la chasse au renard en
Angleterre. *(Note du Major.)*

boire un bienfaisant whisky, et même un
second... Puis nous reprîmes notre course à
travers prairies et coteaux, sautant plus allé-
grement que jamais haies, clôtures et ruis-
seaux. Nous devions être à une dizaine de
kilomètres de Brooksby, lorsque, pour laisser souffler nos bêtes et nous reposer nous-
mêmes, nous mîmes pied à terre sous les
ombrages, au bord de la River Wreak. Le
tumulte d'un galop brisa un instant le silence
de la campagne. A une centaine de mètres,
sur un petit pont de pierre, nous vîmes passer en trombe un cavalier attardé qui nous
parut être le jeune comte de Hertford. Quelques secondes plus tard, nous entendîmes
l'appel lointain d'un piqueur, des aboiements
de chiens... La chasse était loin. Ce jour-là,
décidément, nous n'étions pas de bons sportifs. Sans doute était-il devenu clair à nos
yeux que les obstacles de Dublin et du comté
de Leicester n'étaient pas les seuls que nous
pussions franchir ensemble? Nous nous
assîmes au bord de l'eau. Je ne saurais
décrire ici avec précision ce qui se passa, tant

ce fut soudain et désordonné. Dans l'étreinte que les nobles chênes du domaine de Lord Camrose abritèrent ce jour-là, l'amour, la chasse et le whisky avaient chacun leur part.

Pourquoi tant de femmes changent-elles dès l'instant où on les épouse? Cette minute de passion qui devait décider de mon destin, je ne devais plus jamais la revivre. A la vérité, tout fut différent à partir du moment où Ursula m'apparut en robe de chambre. C'était sa prestance qui d'abord m'avait attiré, son allure, sa classe — toutes qualités inséparables des joutes hippiques, et qui effaçaient, en les absorbant, les traits rébarbatifs de son visage : long nez, grandes oreilles, mâchoires trop développées. Comme chez ces lads qui, à force de vivre jour et nuit dans l'ombre des chevaux, en arrivent, par un mystérieux phénomène de mimétisme, à leur ressembler, il y avait en elle du cheval. Lorsqu'elle était en tenue, son côté chanfrein passait. Dans l'intimité, la réalité m'apparut toute différente.

L'amazone était partie. Il ne restait que la jument.

*

J'essayai bien, les premiers temps, d'inciter Ursula à revêtir le plus souvent possible la tenue que j'aimais. Mais je ne pouvais tout de même pas lui demander de dormir avec sa bombe de chasse. Mon insistance lui parut-elle singulière? Dès le jour où nous entrâmes dans notre demeure du Hampshire, Ursula cessa de monter (il y avait une autre raison à ce comportement, mais je ne la découvris que plus tard). Sa façon même de rire d'un bon mot, de *joker* [1] sans retenue, n'était plus la même. Le fait, sans doute, d'avoir à s'occuper d'une maison, à diriger des domestiques, la rendait tout à coup plus grave, plus guindée. Ce n'était plus l'amie de club, la camarade de compétition. C'était une maî-

1. Le Major, estimant que « plaisanter » ne traduisait pas exactement *to joke*, a une fois de plus exigé de son collaborateur qu'il anglicise son vocabulaire. *(Note du Traducteur.)*

tresse de maison, moins prompte à rire d'un bon mot qu'à relever des traces de poussière, de pieds surtout. Jamais je n'avais tant entendu parler de mes pieds.

« Faites attention à vos pieds quand vous entrez, *dear*[1]... Essuyez-vous les pieds!... Vous êtes encore passé par ici avec vos pieds, Thompson! »

Peut-être existe-t-il des hommes qui parviennent à passer quelque part sans leurs pieds? C'est là une chose au-dessus de mes forces. Ce qui est certain, c'est que notre drame naquit par les pieds. On cherche toujours de grands motifs aux grands drames. Ils sont souvent petits, même quand ils sont très grands. A force de me parler de pieds, Ursula finit par me faire regarder les siens. Dans une botte bien faite, tous les pieds passent. Mais, dans une pantoufle, le pied d'Ursula prenait des proportions gigantesques. Détail — si je puis ainsi m'exprimer — qui m'avait d'autant moins frappé dès l'abord que l'on disait avant tout d'Ursula : « C'est une femme

---

1. Prononcez *di-âr*. (*Note du Traducteur*.)

de tête! » (On devrait pourtant se méfier de
ces estimations : elles cachent le pire.)

*

Comment expliquer, en demeurant dans
les limites de la décence, ce que fut ma vie
avec Ursula?

Peut-être justement en un seul mot : la
décence. Cette athlète, ce casse-cou, cette
chasseresse impénitente s'était métamorpho-
sée en un parangon de décence.

« *Now then... don't be sloppy, dear! Stop
that nonsense!* (Allons, chéri, ne tombez pas
dans la sensiblerie! Cessez cette absurdité!) »

Toutes les Anglaises ne sont pas à l'image
d'Ursula, et pourtant, expliquer Ursula c'est
expliquer un peu d'Angleterre. Ce royaume
aurait dû être celui de Freud : tout peut s'y
expliquer par le refoulement. Dans ce pays
qui, aux temps hardis d'Henry VIII ou de
George IV, fut le théâtre des plus extrava-
gantes ripailles et des plus folles orgies, l'ère
victorienne mit sur pied une colossale entre-

prise de pudibonderie dont les filiales sont encore loin d'avoir cessé toute activité. Ursula était issue d'un indestructible bastion de la forteresse victorienne. Dans le manoir de Trentoran, où elle naquit, sa grand-mère Lady Plunkett maintenait avec rigidité les principes wesleyens : on ne devait jamais prononcer le mot jambes (il fallait parler d'*extremities* ou de *lower limbs*) et les pieds des pianos étaient chaussés de mousseline [1].

Ursula avait onze ans lorsqu'elle fut envoyée à Meltenham, un collège du Warwickshire où régnait la double loi du puritanisme monacal et du sport. Quand elle en sortit, six ans plus tard, elle ne savait peut-être pas exactement comment était fait un garçon, mais elle l'était devenue elle-même.

Encore une fois je veux me garder de toute généralité dangereuse, mais je crois sincèrement que, si les Anglais avaient trouvé un moyen de mettre des enfants au monde sans

1. Cet usage est aujourd'hui très peu répandu, mais on a toujours avantage outre-Manche à éviter de parler de tout ce qui se trouve entre le menton et les genoux. (*Note du Traducteur.*)

avoir affaire aux femmes, ils seraient les gens
les plus heureux de la terre. Le premier soin
de l'éducation britannique est de séparer les
deux sexes comme s'ils ne devaient plus
jamais se revoir (leurs rapports seront, il est
vrai, limités au minimum). Tandis que les
filles sont confiées à des institutions où l'on
couvre leurs jambes de bas noirs et où elles
apprennent à rougir des damnées choses de la
chair, voire de la chair elle-même (à Meltenham la *rule* stigmatisant la nudité obligeait les élèves à se baigner revêtues d'une
chemise de calicot), les garçons sont expédiés
dans des collèges d'où ils sortent tout étonnés
d'apprendre qu'à côté du cricket et du Colo-
nial Office ils auront de temps à autre à
s'occuper des femmes.

Encore est-ce peu dire qu'en Angleterre
rien n'est fait pour les femmes. Tout est fait
contre elles, elles d'abord. Il est normal que
le principal objectif d'un petit garçon soit de
devenir un homme; mais, dans le Royaume
Uni, c'est aussi le but d'une petite fille.

« *Run like boys, girls, run!* (Courez comme

des garçons, girls, courez!) », disaient les *mistresses* de Meltenham à leurs ouailles; ce qui était une façon de sous-entendre : « Ainsi vous n'y penserez pas! » Et Ursula courait comme un garçon; et l'exercice éliminait, avec les toxines, toutes les mauvaises pensées qu'elle pouvait avoir. A l'heure où Martine et ses amies devenaient romantiques et rêvaient en lisant *On ne badine pas avec l'amour,* Ursula et ses camarades faisaient des prodiges à *lacrosse*[1] et chantaient : « *I'm so glad... I'm not pretty!* (Je suis si heureuse... Je ne suis pas jolie!) »

Les années peuvent passer, les gouvernements changer, les guerres bouleverser le monde, la *Meltenham rule* laisse sur l'âme une empreinte indélébile. La femme que j'épousai était marquée par Meltenham jusque dans sa façon de dormir. Quelque temps après l'entrée d'Ursula dans ce collège, un

1. Le jeu de *lacrosse* (dont le nom, écrit en un seul mot, fut primitivement donné par les colons français au *baggataway* des Iroquois) est très populaire dans les écoles de filles anglaises. Ce jeu de balle se joue avec une crosse terminée en forme de raquette et munie d'un filet. *(Note du Major.)*

soir d'hiver, une surveillante, inspectant son
glacial dortoir, l'avait découverte s'endormant
pelotonnée sous ses draps.

« Mon enfant, lui dit-elle, est-ce là une
posture décente pour dormir? Supposez un
instant que vous soyez cette nuit rappelée à
Dieu : serait-ce une façon correcte de rencon-
trer Notre-Seigneur? »

A partir de cette nuit, Ursula s'endormit
selon la *rule* : sur le dos, les pieds au froid,
les mains jointes sur la poitrine. C'est là, j'en
conviens, une attitude des plus recomman-
dables pour les rois et les reines qui, figés dans
la pierre, dorment leur dernier sommeil dans
l'Abbaye de Westminster, exposés aux regards
des générations. Mais, pour passer la nuit
avec un homme normalement constitué, il est
des dispositions plus adéquates. Je mentirais
si je ne disais pas qu'Ursula essaya, sur mon
invitation, d'avoir un sommeil plus conjugal
et de s'endormir dans mes bras. Mais chaque
fois, dans la nuit, la *Meltenham rule* revenait
hanter son subconscient. Et, s'il m'arrivait
de me réveiller, c'était à côté d'une statue.

Je sais... Toutes les Anglaises ne dorment pas ainsi. Toutes les filles d'Albion n'ont pas de grands pieds et des mâchoires géantes. Il est de ravissantes Anglaises — et, quand elles sont jolies, elles le sont pour toutes celles qui ne le sont pas. Il est de volcaniques Anglaises — et, quand la flamme les anime, elles brûlent pour la Grande-Bretagne et ses dominions. Ursula, sans doute, était un cas. Et, dans le cas d'Ursula, l'amour, simplement, ne l'intéressait pas. L'orage qui avait éclaté sur les bords de la Wreak s'était à jamais éloigné. Les timides ont ainsi de ces crises foudroyantes d'audace, puis rentrent dans leur caractère.

La pratique du sport en général, et du sport de compétition en particulier, n'a jamais prédisposé aux langueurs de l'amour. Les maîtresses de Meltenham le savaient, qui obtenaient, par la pratique intensive de *lacrosse*, la ventilation des idées nocives *Lacrosse* d'Ursula devenue femme, ce fut l'équitation. Là encore elle n'était pas à l'image de ces quelques phénomènes du jum-

ping dont l'activité ne tempère en rien les
ardeurs : le cheval la brisait. J'aurais donc
pu croire, les premiers temps, en la voyant
délaisser son sport favori, que le calme éveil-
lerait en elle des instincts engourdis. Je me
trompais : Meltenham était passé avant moi.
Très vite, je compris le sens de cette pause
et ce qu'Ursula attendait de moi. Si elle
avait momentanément renoncé au cheval, ce
n'était pas pour un époux : c'était pour l'Angleterre et pour les hommes. Meltenham et
sa mère l'avaient préparée au mariage dans
un esprit tout victorien. La veille de son
départ, Lady Plunkett lui avait administré
ses derniers conseils :

« *I know, my dear... It's disgusting... But
do as I did with Edward : just close your eyes
and think of England...* (Je sais, mon enfant...
Ces choses sont écœurantes... Mais fais ce que
j'ai fait avec Edouard : ferme les yeux et
pense à l'Angleterre. .) »

Et, comme sa mère et la mère de sa mère,
Ursula avait fermé les yeux. Et elle avait
pensé à l'avenir de l'Angleterre. Et l'avenir

de l'Angleterre est, certes, quelque chose de
sacré à quoi ses enfants doivent veiller, mais
quelque chose fit aussi que cet avenir, dans
l'infime mesure où il reposait sur mes très
modestes moyens, ne fut pas assuré. Sans
doute était-il écrit que l'avenir de la Grande-
Bretagne, je l'assurerais mieux en France...

Dès qu'Ursula comprit que le Ciel ne nous
accorderait pas ses faveurs, elle recommença
l'entraînement. Elle le reprit même avec une
ardeur qui touchait à la frénésie. Levée à cinq
heures, elle passait sa journée avec les chevaux, avec les garçons d'écurie, avec l'oxer et
la banquette irlandaise du terrain d'obstacles
spécial que j'avais eu l'imprudence de lui
faire aménager en guise de cadeau de
noces. Le soir, fourbue, elle surveillait encore
le pansage, inspectait la sellerie. Quand elle
rentrait, elle ôtait ses bottes, se jetait sur un
sofa ou sur un lit, sombrait dans le sommeil
ou reprenait sa broderie (une chasse à courre
qui n'en finissait plus).

Elle ne se refusait pas à ce qu'elle considé-
rait comme un devoir. Mais elle me donnait,

à l'instant décisif, un *guilt complex* : le sentiment de culpabilité d'un écolier pris en faute au moment où il regarde le *Dictionnaire médical*.

« *You should be ashamed of yourself!* (Vous devriez avoir honte de vous-même!) Eteignez les lumières, *naughty boy!* »

Un incendie couvait-il sous cette banquise?... Je me méfie des femmes en général et des Anglaises en particulier. Sous le masque de la froideur peuvent grouiller d'inavouables tendances... Certain dimanche je surpris Ursula plongée dans les *News of the World*, se délectant à la lecture du rapport, haché menu, d'un de ces drames conjugaux qui font le bonheur dominical des plus solides foyers anglais. Il était question[1] d'un honorable commerçant de Liverpool qui, après dix ans d'esclavage, demandait la liberté : sa femme l'obligeait à « faire le cheval » et, lui ayant imposé le harnais, à avancer dans la chambre à petits coups de fouet. Ursula éclata d'un rire sarcastique :

1. L'histoire est authentique.

« *That would suit you perfectly!* (Cela vous irait à merveille!) »

Je ne sais si cela m'eût vraiment *suité,* mais l'image d'un major de l'Armée des Indes attelé comme un poney et secouant ses grelots me parut hallucinante. J'en vins à me demander si l'indifférence d'Ursula n'était qu'apparente et si cette façon de continuer sa maudite broderie jusqu'à la minute psychologique n'était pas l'expression même de la perversité...

*

Des dizaines d'années-lumière me séparaient encore de la planète Martine et de l'univers sentimental des Français. Puis-je me permettre ici de passer du particulier au général et, après avoir pris soin de souligner que l'Angleterre n'est pas exclusivement peuplée d'Ursulas, de noter ce que je considère comme une différence essentielle entre les deux pays?

Les Anglais ont des rites pour le thé et des habitudes pour l'amour. Les Français

prennent pour l'amour les soins que nous
réservons au thé. Le plus souvent, chez nous,
l'amour est un sketch rapide dont on ne
parle ni avant ni après. Pour les Français,
c'est une pièce savamment montée, dosée,
avec prologue et intermèdes, et dont on parle
beaucoup avant, pendant et après. Les Français sont les gastronomes de l'amour. Les
Anglais, des exécutants.

Loin de me demander comme Martine :
« C'était bien? Tu es content? Très-très? »
Ursula m'aurait plutôt demandé si je me
sentais mieux. Elle ne me demandait d'ailleurs rien.

Ce comportement n'est pas, il s'en faut,
particulier à Ursula. Même lorsqu'ils aiment
l'amour, les Anglais en parlent peu. Ils laissent ce soin aux auteurs dramatiques — ou
aux journaux[1]. Les plus beaux duos d'amour

1. Encore y a-t-il une façon d'en parler. Le *New States-
man and Nation* du 27 mars 1954 cite cette phrase extraite
d'un article paru dans les *News of the World :* « Love is
a word we have got to be very careful about. In certain
connections it has a sexual significance. (Amour est un
mot au sujet duquel on ne saurait être trop prudent :
dans certains cas, il a une signification sexuelle.) »
(Note du Traducteur.)

que l'on ait jamais écrits sont peut-être ceux
de Shakespeare — mais ce n'est pas là un
langage dont les Anglais usent pour la consommation courante. Et s'il leur advient de *parler d'amour,* comme aiment le dire et le faire
les Français, ils ménageront plutôt leur langue nationale, trop correcte, pour donner un
peu de couleur locale à leur vocabulaire en
l'émaillant d'articles importés, tels que *C'est
l'amour...* ou *rendez-vous*[1].

Quant à la presse, elle n'hésite pas, on l'a
vu, à parler des drames conjugaux, comme à
broder sans fin sur le secret d'une idylle —
pourvu qu'elle soit princière. Qu'une Princesse royale change de cavalier servant, ou
perde son sourire au moment d'entreprendre
un voyage en Rhodésie du Sud — et les journaux à grand tirage s'interrogent sur les raisons de sa mélancolie : « *Why is the Princess
so sad?...* » Alors mon Angleterre, l'Angleterre

---

1. En français dans le texte comme dans la conversation des Anglais. Il est curieux de noter qu'au même
instant une jeune fille française à la page, trouvant le
Je vous aime désuet, dira ou écrira volontiers : *I love
you. (Note du Traducteur.)*

stricte au cœur fondant, l'Angleterre toujours
prompte à s'émouvoir pour une romance que
ligote le corset des traditions, toute cette
Angleterre, qui se sent un peu de la Famille
royale, se passionne pour la tête qui trotte
dans la tête de sa jeune Princesse, tandis que
celle-ci contemple les danses des guerriers
emplumés du Bechouanaland. Très respec-
tueusement, mais avec une insistance qui
paraîtrait déplacée dans un pays moins poli,
les reporters interrogent ce visage mélanco-
lique pour savoir ce qu'il y a derrière... Aus-
tère gouvernante de papier, Miss *Times* les
rappelle à l'ordre en quinze lignes.

*

J'ai toujours tenu à mesurer, avec le plus
d'exactitude possible, la distance qui sépare
presque en tous points les Français des
Anglais. Je voudrais pouvoir le faire aussi
bien dans le domaine sentimental. Mais mon
compas m'échappe des mains. Ce n'est plus
un fossé, c'est un abîme.

En France, une jolie femme (toutes les femmes s'arrangent pour être jolies dans ce pays, même les autres) sera choquée si un homme ne lui fait pas la cour dans un salon ou ne remarque même pas sa nouvelle robe. C'est là une attitude qu'elle conçoit à la rigueur chez son mari, tout en déplorant publiquement qu'il n'ait plus pour elle les yeux d'un amant.

En Angleterre, une jolie femme trouvera *most shocking* qu'un homme lui baise la main, et tout à fait déplacé qu'il lui tourne un compliment sur son teint, à moins que ce soit son mari, lequel n'y pense pas.

Ce que Martine demande avant tout à une robe, c'est d'être élégante. Ursula, comme ses compagnes, voulait d'abord s'y sentir *comfortable*[1] *(to be comfortable in...).* Dans la rue, la Parisienne qui inaugure un *petit* tailleur printanier est secrètement ravie de voir le regard des hommes s'allumer. L'Anglaise le

1. Je dois à la vérité de dire que les Anglaises ont fait, quant à leurs toilettes, de sérieux progrès depuis quelques années. Mais les habitudes acquises sont tenaces. *(Note du Major.)*

serait sans doute aussi, mais ce début d'incendie est inimaginable dans un pays où le regard des hommes, sans doute à cause de l'humidité ambiante, paraît ininflammable. Les Français contemplent les femmes. Les Anglais les croisent.

En France, les femmes font tout ce qu'elles peuvent pour être remarquées — tout en affichant la surprise la plus vive si quelque inconnu les remarque au point de le leur dire. Une *femme du monde* [1] sera scandalisée si on l'aborde, mais navrée que l'on n'essaie pas. « On ne me suit plus... », dira-t-elle un jour, marquant à la fois son âge et son désabusement.

Une Anglaise peut être parfaitement tranquille sur ce chapitre : on ne l'importunera jamais. Si, par extraordinaire, quelque étranger suspect s'avisait de la suivre, le traditionnel policeman aurait tôt fait de remettre les choses dans la tradition la plus stricte — les

---

1. En France, on appelle « femme du monde » une femme qui n'appartient à personne (pas même à son mari), sans doute par opposition aux demi-mondaines, qui appartiennent au monde entier. *(Note du Major.)*

policemen des deux pays étant, à l'image du reste, très différents. Martine m'a raconté qu'un jour, encore jeune fille, mais déjà suivie, elle s'était précipitée vers un gardien de la paix pour lui dire :

« Monsieur l'agent, cet homme me suit!

— Dommage que je ne puisse pas en faire autant, mademoiselle! » lui répondit l'agent, tout en continuant à régler la circulation[1]

Encore ne faut-il voir là que des différences mineures.

Le véritable antagonisme est ailleurs. Souvent, quand il est question d'un Français, on vous parle un peu de lui, beaucoup de sa maîtresse, pas du tout de sa femme. Quand il est question d'un Anglais, on parle surtout de lui, très peu de sa femme, jamais de sa maîtresse. Je vais parfois jusqu'à penser qu'un Français sans maîtresse est un Anglais sans club, mais... *by Jove!*... loin de moi l'intention de généraliser! Je ne veux parler ici que de

---

1. A noter que si la méthode des agents diffère, à Londres et à Paris, l'effet qu'ils exercent sur les suiveurs est le même : en l'occurrence l'homme s'éclipsa. *(Note du Traducteur.)*

certaine société des villes (quoique les jeunes
filles des campagnes, sous des aspects timides,
cachent bien plus de hardiesse que leurs
émules citadines).

*

Une chose demeure claire : le penchant des
Français pour l'aventure galante et le souci
qu'ils ont d'élever leurs enfants dans le respect des traditions familiales font que, de tous
les pays du monde, la France est peut-être
celui où il est le plus simple d'avoir une vie
compliquée et le plus compliqué d'avoir une
vie simple. Chez nous, la complexité est à la
fois plus rare et moins visible. L'absence des
enfants diminue les hésitations devant le
divorce. En revanche, on hésite infiniment
plus devant le crime passionnel.

La loi du cricket domine l'Anglais jusque
dans sa déconvenue sentimentale (qui ne
revêt, même au théâtre, aucun caractère
comique) : il doit savoir perdre sa femme
comme il sait perdre un match. Si par

malheur il se révèle mauvais joueur et tue
son rival, on lui rappelle aussitôt que c'est là,
encore, une chose qui ne se fait pas. Il n'a pas
à compter sur l'indulgence du tribunal. De
l'autre côté du Channel, sans doute, il rece-
vrait les félicitations du jury. *At home,* il
reçoit une lettre polie qui commence par du
Cher Monsieur et se termine par du *bien
dévoué,* mais qui, incidemment, lui apprend
que l'on est au regret d'avoir à le pendre...

En France, où la femme n'a juridiquement
aucun droit, tout est fait pour les femmes,
par les femmes. La rue de la Paix et la magis-
trature, l'ironie et la politique, la galanterie
et la République — tout est du féminin.

En Angleterre, où la femme a juridiquement tous les droits, rien n'est fait pour les
femmes, même les hommes. Les paquebots
sont du féminin, mais, en dehors de cela, le
masculin domine; l'une des meilleures répu-
tations que l'on puisse faire à une femme,
c'est de dire qu'elle est *un bon sport*[1].

1. *A good sport* : une bonne et loyale camarade. *(Note
du Traducteur.)*

C'est très exactement ce que l'on m'avait dit d'Ursula.

On a vu comment Meltenham, en la développant, l'avait masculinisée. Tout milite en Angleterre pour la réussite de cette vaste conspiration contre la femme : la pratique intensive du sport dans l'adolescence a enlevé à la *female*[1] sa sensibilité, les clubs lui enlèveront son mari, les collèges ses enfants, la confection son charme, jusqu'au jour où ses charmes eux-mêmes se faneront.

Mais l'âge de la défaite sera pour elle le temps de la victoire. A l'époque où la Française s'estompe dans la discrétion des gris et des grèges, l'Anglaise, dégagée des contraintes, prend en toute liberté sa revanche sur les hommes : le printemps, que l'uniforme de l'école avait étouffé, elle le vit tardif, mais glorieux, en cultivant un jardin sur sa tête et en arborant des robes *baby blue* ou rose saumon. Alors, ayant fait hautement valoir

---

1. Quoique beaucoup moins employé que le mot *woman*, l'appellation de *female*, en Angleterre, n'a rien de péjoratif. *(Note du Traducteur.)*

ses droits à l'égalité, elle se conduit comme un homme, fait de la politique comme un homme, va à son club comme un homme, et devient, en vraie femme, vice-présidente de la Société de Secours aux Pinsons égarés.

L'heure du petit oiseau a sonné[1].

1. Il peut paraître étrange de parler d'animaux lorsque l'on traite de l'amour et des femmes. Mais l'Angleterre est moins le pays du *I love you* que celui du *Love me, love my dog* (Qui m'aime aime mon chien). A l'encontre des Français qui mangent du cheval et toutes sortes de bêtes, mais ne manquent pas une occasion de s'appeler *mon petit chat* ou *ma cocotte en sucre,* les Anglais, beaucoup plus réservés sur ce genre d'appellations et partisans des châtiments corporels pour leurs enfants, dispensent des trésors de tendresse aux poneys et aux chiens. Si un gardien de la Tour de Londres se casse le tibia en se prenant le pied dans sa hallebarde, on en parle à peine. Mais que Judy, le fox-terrier des *yeomen,* tombe malade — cela vient d'arriver —, et voilà Londres ému aux larmes en lisant dans les journaux ses bulletins de santé. Je ne sais si l'abbé Pierre aurait récolté chez nous autant d'argent qu'en France. Mais je suis sûr qu'il en aurait obtenu davantage s'il avait fait campagne pour les chats sans logis. Aucun des mendiants du Royaume ne me contredira : un aveugle professionnel double facilement sa recette avec une chienne au regard triste. Mais si la chienne est aveugle, il peut songer à se retirer. *(Note du Major.)*

*

Cette heure ne devait jamais sonner pour
Ursula, mais une autre, plus glorieuse encore,
lui était réservée.

Elle est tombée à Bombay dans la Coupe
du Vice-Roi, un jour où l'on avait élevé la
barre de Spa à 1 m, 90 et où elle s'entêtait
à monter un australien entier, réputé cabo-
chard.

Après avoir renâclé à l'oxer, *Bahadur Sahib*
prit le mur par le poitrail et, loin de le
« négocier », fit un panache fatal.

La tragédie fut complète : pendant que
l'on transportait Ursula, sans connaissance,
au Bristish Hospital, on devait abattre *Bahadur Sahib*.

Les deux bons serviteurs de la cause hip-
pique reposent en terre indienne.

IX

CE CHER ENNEMI HÉRÉDITAIRE...

Le seul drame dans ma vie, depuis la mort d'Ursula, c'est mon fils.

Rien que son prénom d'abord.

Je voulais l'appeler Marmaduke.

Depuis 1066, les Thompson, qui, par mon trisaïeul Archibald, troisième comte de Strawforness, parviennent — en tirant un peu sur la dernière branche — à se raccrocher à Guillaume le Conquérant, ont pour tradition d'appeler leur fils aîné Marmaduke. Ursula n'aurait rien eu là contre. Mais ce fils m'est *eventually* venu de ma Française seconde épouse : et Martine, à ma proposition, a éclaté de rire. Ce prénom de Marmaduke l'a toujours incitée à rire. Elle prétend que cela fait gelée d'orange de Dundee, *je ne sais pas moi... pas sérieux*[1].

Ce qui, à mon sens, ne fait pas sérieux du tout pour un ex-major de l'armée des Indes, c'est le surnom de Doukie[2] qu'elle en a tiré, en bonne Française qui sait faire une robe de rien et un petit nom de tout.

Nous parvînmes à un compromis : l'enfant porterait les trois premières lettres de nos deux prénoms et on lui ajouterait un *c* dont il serait libre, plus tard, de faire ce qu'il voudrait. Il s'appelle donc Marc. Mais aucune force au monde ne saurait m'empêcher de l'appeler,. en secret, Marmaduke.

Cette discussion n'était que le prélude d'une tragédie qui alla *crescendo* avec le problème de l'éducation.

My God! Est-il possible que deux peuples aient emménagé dans des domaines aussi rapprochés que les nôtres pour le plaisir de

1. En français dans le texte. *(Note du Traducteur.)*
2. Dans ses très bons jours « Doukie-Doukie ». *(Note du Major* tout à fait confus.)

faire toutes choses en sens opposé? Il en est
des enfants comme de la conduite des automobiles et du système judiciaire : à vingt
miles de distance, tout est le contraire de tout.
Les Français mettent des enfants au monde
pour les regarder grandir. Les Anglais les ont
à peine vus naître qu'ils les envoient grandir
ailleurs. A partir de Boulogne, les enfants
sont élevés au milieu des grandes personnes.
A partir de Folkestone, ils deviennent des
grandes personnes au milieu des enfants. En
France, ils vous attendrissent. En Angleterre,
on vous les durcit. Les parents français sont
plutôt vexés si leur fils ne donne pas des
signes d'intelligence précoce. Les Anglais sont
inquiets s'il en manifeste[1].

Comment trouver, dans ces conditions, un
terrain d'entente?

1. Je ne veux pas dire, bien entendu, que mes honorables compatriotes adorent les enfants idiots. Mais ils
aiment les enfants enfants. En France, au contraire, ce
que l'on apprécie le plus chez un enfant, c'est le petit
bout d'homme. Un père anglais rapportera volontiers un
mot de son fils s'il est d'un comique enfantin. Mais,
à l'encontre du Français, il n'en tirera aucune vanité
s'il s'agit d'un mot *très avancé pour son âge. (Note du
Major.)*

Un moment je crus l'avoir découvert en la personne de Miss ffyfth[1] : l'enfant serait éduqué d'abord en France, mais avec une gouvernante anglaise. Devant cette menace d'invasion, l'ascendance bretonne de Martine sonna le tocsin : l'intrusion d'une belle-mère factice mais consanguine la fit longtemps hésiter. Je fus appuyé par certaines de ses amies qui admettaient : « Rien de tel qu'une Anglaise pour élever les enfants », desservi par d'autres qui assuraient : « Très bien, oui... mais vous ne le verrez plus! »

Tout de même, Martine finit par accepter.

Il serait inexact d'écrire : Miss ffyfth entra... Ce fut un souffle glacial de mer du Nord qui s'engouffra dans l'appartement. Avec son visage anguleux et violacé, ses dents proéminentes en forme de rostre, ses longs bras, ses mains osseuses recouvertes de peau écaillée, Miss ffyfth était l'image de la rigidité, l'incarnation de l'ennemi héréditaire. C'était la Reine Elizabeth condamnant Marie

1. Surtout sans majuscule! Voir plus loin. (*Note du Major.*)

Stuart à l'échafaud, Victoria asséchant les
marécages du vice par le puritanisme, Bri-
tannia casquée d'or assise sur un tonneau
d'esclaves. La locataire du premier pays au-
dessus à gauche s'installait en *squatter* dans
l'appartement. Ce n'était pas la guerre, sans
doute. Mais l'état d'alerte. En un clin d'œil,
la situation domestique se tendit : Florine,
la cuisinière, ne ferait aucun porridge pour
ce dragon, *ça n'y avait rien à faire*[1]; et Clarisse
ne lui envoyait pas dire : *elle pouvait toujours se brosser, la Miss, pour être servie dans
sa chambre...*

J'avais connu Miss ffyfth aux Indes. Après
avoir fait ses premières armes dans certaines
des nurseries les plus huppées du royaume,
Miss ffyfth avait été appelée au Kashmir par
un maharajah anglomane, décidé à lui confier
le dressage de son fils indolent, rêveur, un
peu courbé. En imposant à cet oriental enfant
le port d'une tringle qui barrait ses omo-
plates, et en l'entraînant, au cours de longues
promenades hygiéniques — *Respirez fort...*

1. En français dans le texte. *(Note du Traducteur.)*

Levez la tête... Une, deux, une, deux... — à marcher comme les grenadiers de Sa Majesté, le poing violemment rejeté d'arrière en avant, Miss ffyfth en fit quelqu'un de tout à fait bien. Quand l'Anglaise quitta Srinagar, l'enfant était toujours indien, mais redressé : il ne pensait plus à comparer les yeux des jeunes filles à la fleur de l'hibiscus; son indolence était secouée; et il admettait que Çiva avait sans succès mis au point la mousson pour éprouver les British waterproofs.

*

Il y eut, d'abord, de terribles batailles de prononciation. Il est déjà difficile à un enfant qui n'est pas complètement anglais d'admettre que Beauchamp se prononce *Bitcham* et Leicester, *Lest'r*. Mais personne dans la maison, à commencer par le petit, n'arrivait à prononcer correctement le nom seul de Miss ffyfth. Je l'avoue : c'est un nom difficile à siffler, même pour des bouches britanniques. Or Miss ffyfth, qui se plaît à dire qu'elle

pourrait donner des leçons particulières rien
qu'avec son nom, est très attachée à son
patronyme. Rares sont les vieilles familles du
Royaume Uni qui ont gardé des temps médié-
vaux le privilège de commencer leur nom
avec une double portion de f[1] : plus rares
encore sont celles qui ajoutent à ce luxe le
raffinement du *th*. Seules des langues exer-
cées depuis mille ans peuvent effectuer sans
fourcher ce périlleux rétablissement. Les
Français trébuchent, et cela les énerve. La
vieille Florine nous fit d'ailleurs remarquer
que, moins dépensière, elle s'en tirait aussi
bien avec un seul *f*, et murmura :

« Le jour où elle ff...ra le camp, l'Anglaise,

1. Le Major fait ici allusion aux *ffolkes, fforde, ffran-
gon*-Davies et autres *ffrench* (sans majuscule), solides
familles anglaises qui se sentent particulièrement *ffortes*
derrière cet imprenable rempart et se montrent très
jalouses de leur privilège. Le cas de Miss ffyfth est à cet
égard significatif : si elle ne s'est jamais mariée, c'est
pour conserver intact son nom bien plus que sa personne. Elle avait vingt ans lorsqu'elle tomba amoureuse
de Merthylyd llynfartha. Or jamais dans sa famille une
fille n'avait épousé un homme dont le nom ne commençait pas par *ff* ou *Ff*. Son père, ayant rapidement
démontré que deux *l* ne changeaient rien à l'affaire, lui
commanda donc *to stop that nonsense*... C'est ainsi que
Miss ffyfth demeura vierge. *(Note du Major.)*

elle peut s'en coller quatre des f..., ça ira
plus vite! »

Martine, qui commençait à perdre son *self-
control,* essaya bien de se venger en donnant
à mâcher à Miss ffyfth du Broglie, du Mau-
peou, et même un peu de La Trémoille, mais
la mâchoire aguerrie de la Galloise ne fit
qu'une bouchée de la vieille noblesse française; on sentait bien là l'ennemie héréditaire.

La tension ne cessait de monter. Martine
s'apercevait que certaines de ses amies avaient
raison : à partir de 19 heures, elle ne pouvait
plus voir son fils sans que cela fît un drame.
Il fallait respecter la *rule.* Miss ffyfth enten-
dait coucher, laver¡ habiller l'enfant comme
elle le voulait, sinon elle déclinait toute res-
ponsabilité : *British rule.*

Martine accepta de patienter encore un
peu, mais son humeur s'aigrit. Sa mémoire
devint étrangement rétrospective. Jusque-là,
elle ne m'avait jamais semblé savoir qui, des
Normands ou des Saxons, était venu en premier. Tout à coup, elle marchait d'un pas

sûr à travers l'épaisse forêt des dynasties anglaises et me lançait à la tête ce Gourdon écorché vif par Richard Cœur de Lion comme si elle venait de terminer une thèse sur les Plantagenets. En ces moments-là, elle me détestait. Mais... *je ne pouvais pas comprendre, parce que j'étais Anglais, avant tout Anglais...*

*

Je ne me formalise pas pour autant... Quand un Français commence par me dire : « Je vais vous parler franchement : dans ma famille, on a toujours détesté les Anglais... », je parierais une bouteille de scotch qu'il me confiera bientôt : « Au fond, on vous aime bien... » Pour un Français, il y a toujours deux Anglais en un seul : le bon (celui du match Oxford-Cambridge) et le mauvais (celui de Fachoda). Cela dépend de son humeur[1]. Chacun sait que le seul authen-

---

1. Je parle de l'humeur du Français. (*Note de l'Ennemi.*)

tique ennemi du Français est l'Allemand,
mais, fidèles à leur vieux fournisseur d'acrimonie — qui risquerait de se trouver sans
emploi — beaucoup de Français continuent à
se transmettre de père en fils la notion de
l'ennemi héréditaire britannique, le plus
fidèle, le plus cordial antagoniste du Français
dans la paix.

Pour être juste, il faut dire que Miss ffyfth
possède une façon assez spéciale d'apprendre
l'histoire aux petits enfants. Quelquefois, de
la galerie, je l'entendais pénétrer dans la
guerre de Cent Ans :

« *Alors, le roi Edouard III, guidé par un
de* vos *paysans, Gobin Agache, traversa la
River Somme et arriva à un village nommé
Crécy où il made up his mind to wait and
see...* »

Et le Roi d'Angleterre attendait. Et il
voyait arriver les chevaliers français. Et l'histoire commençait qui devait durer cent ans,
de ces mobiles archers anglais armés d'arcs
en bois de frêne souple, le carquois à la
hanche, toujours frais et dispos — et des che-

valiers français empêtrés dans leurs cuirasses,
qui chargeaient inutilement sous une grêle
de flèches et n'avaient jamais de chance avec
la pluie. *Too bad for the French*... Mais, précisait Miss ffyfth, ils étaient *badly led,* ils
étouffaient sous leurs casques à bassinet, et
leurs méthodes de combat étaient (déjà!) *old
fashioned*...

*

Souvent, en hiver, à la tombée du jour, il
m'arrive encore de penser à la guerre de Cent
Ans et a ces noms — Crécy, Poitiers, Azin-
court — qui dans un collège du Dorset réson-
nent comme des cris de triomphe tandis qu'à
vingt lieues de là, dans un lycée normand, ils
sonnent le glas de la chevalerie française.
Alors, tandis que tombe le crépuscule et que
cinquante fiers petits écoliers anglais sentent
couler dans leurs veines le sang du Prince
Noir, la tristesse emplit le cœur de cinquante
fiers petits Français qui voient Jean le Bon
(mais imprudent) emmené en captivité en
Angleterre...

Too bad, really...

Cependant, à grands pas, Miss ffyfth avançait dans l'Histoire. Elle était *sorry for Joan of Arc* qu'elle eût été brûlée comme sorcière *(witch),*... mais elle précisait que le tribunal qui l'avait condamnée était composé de Français et que le roi Charles VII n'avait rien fait *to aid the girl (stupendous!).*

Bientôt elle arriverait à Bonaparte. Sans même parler de Trafalgar ni de Waterloo, Wellington avait déjà battu Napoléon à Vimieiro, *remember : Vi-miei-ro...* En fin de compte, le petit homme turbulent avec son *funny* petit chapeau noir n'avait jamais pu réaliser son rêve : aller en Angleterre. Car il y avait... la mer... *the sea....* et surtout : *The Br... the Brr... the British navy, dear...*

Napoléon n'avait pu voir l'Angleterre que quelques minutes, de loin, sur le *Bellérophon*, mais...

« *But he was* NOT *permitted to land...* »

On ne laisse pas débarquer tout le monde, *you see?* Et Napoléon, tout napoléonien qu'il était, devait obéir à la *British rule...* Marc

n'était probablement pas convaincu. Miss
ffyfth s'étonnait de sa mélancolie... Elle ne
pouvait pas comprendre, Miss ffyfth, qu'une
terrible bataille de globules se livrait dans le
cerveau de cet enfant; qu'il y avait en lui un
peu de Wellington et un peu de Napoléon
(avec un léger avantage pour l'homme au
petit chapeau, malgré tout si attirant); et que,
dans sa moitié de tête française, Grouchy
arrivait à l'heure à Waterloo tandis que Miss
ffyfth était déjà à Sainte-Hélène...

Le règne de Miss ffyfth dura vingt-deux
mois. Il finit avec la troisième cuisinière et la
sixième femme de chambre qu'elle avait
détraquées par ses exigences et son habitude
de l'*early morning tea.*

Un jour, comprenant qu'il y avait dans le
caractère français quelque chose d'indéraci-
nable — peut-être un antimiss? — elle s'en
alla, très digne, après avoir fait tout son *dutÿ,
to make a real man of Marc.* Mais le regard
de braise qu'elle me lança après qu'elle m'eut
forcé à l'abdication (il fallait choisir entre
les cuisinières et elle) — oh!... Miss ffyfth...

ce damné regard me poursuivra jusque dans
la tombe.

*

La guerre (celle de 1939) devait pourtant
consolider les conquêtes territoriales de Miss
ffyfth dans le tendre domaine de Marc. Notre
fils était en vacances outre-Manche lorsque le
conflit éclata; nous décidâmes de lui faire
poursuivre ses études dans un collège du
Shropshire.

Quand Marc rentra en France, il était
métamorphosé; avec sa toque, ses pantalons
de flanelle grise et son imperméable bleu
marine, il semblait *definitely British*. On lui
avait appris que la Terre était une planète
sur laquelle on trouve l'Angleterre et aussi
un gros tas de sable, le Sahara, que l'on a
laissé aux Français pour s'amuser avec un
train qu'ils parlent toujours de fabriquer. Il
savait que, de toutes les situations dont on
puisse rêver dans l'existence, la plus enviable
est sans conteste la situation géographique de
la Grande-Bretagne, qui la met à l'abri du

besoin et des fâcheuses promiscuités de l'occu-
pation étrangère. Il avait admis enfin que les
Français, versatiles, agricoles et spirituels,
n'étaient jamais parvenus à construire de
vraiment bons bateaux et faisaient ce qu'ils
pouvaient pour devenir des gentlemen en
achetant, une fois dans leur vie, un chapeau
chez Lock. Elevé à la dure loi des *masters*
prompts à manier la souple tige de jonc et
des prefects[1] à la main leste, il avait reconnu
que la fabrication du gentleman commence
par l'acceptation sans murmure des raclées.

Martine, surprise, nota qu'il manifestait
une répulsion quasi instinctive au baisemain
et, horrifiée, remarqua qu'il lui disait : *Good
night, Mummy,* sans l'embrasser.

*

Huit jours après, Marc entrait dans une
institution française. Il y apprit que Jeanne
d'Arc avait entendu des voix sans guillemets,

1. Aînés auxquels les jeunes élèves doivent obéir et
qui les soumettent, moins que jadis mais encòre beaucoup, à toutes sortes de brimades. *(Note du Major.)*

qu'un hardi marin du nom de Suffren avait dû aller chercher les bateaux anglais jusque dans le golfe du Bengale pour leur donner une leçon, et qu'en échange du Canada et des Indes échappées aux mains françaises (tout à la Pompadour), l'Angleterre n'avait rendu que de la menue monnaie : quelques petites Antilles ainsi que ces 5 (cinq) comptoirs : Pondichéry, Chandernagor, et les trois autres dont on oublie toujours les noms. Très forts au cricket et au golf, les mangeurs de sauce à la menthe ne possédaient rien de sérieusement comparable à la Querelle des Anciens et des Modernes. Pour le reste, c'étaient toujours les Français qui faisaient les premiers frais des guerres, parce que les Anglais étaient très longs à s'habiller en militaires.

Neuf mois plus tard, miné par le mot à mot du *De Senectute,* épuisé par la poursuite du carré de l'hypoténuse, le *poor child* n'était plus qu'un chaos. Ballotté de Trafalgar Square à la place d'Iéna et de Waterloo Station à la gare d'Austerlitz, il découvrait

que les hommes ne se battent en fin de
compte que pour le chemin de fer ou les
ronds-points, et que les Latins, en particulier,
passent leur vie dans des rues du 29-Juillet
ou du 4-Septembre sans jamais savoir exactement ce qui a bien pu arriver ce jour-là.

Devant tant d'incohérence, notre fils paraissait perdu. Il fallait à tout prix, pour le salut
de sa raison malade, trouver une solution.

« Pas question, en tout cas, disait Martine,
de le renvoyer dans un de vos sacrés collèges
anglais!

— Je ne le laisserai pas, rétorquais-je,
s'étriquer les épaules dans un de vos damnés
lycées français! »

Finalement, nous l'avons mis en Suisse, ce
merveilleux petit pays qui sait toujours tirer
des guerres, intestines ou extérieures, le plus
sage parti.

X

LE FRANÇAIS TEL QU'ON LE PARLE

J'AI longtemps cherché à savoir, sans jamais poser de questions trop directes, comment parler un bon français.

Il y a, d'abord, les guides de poche où : *Excusez-moi... Y a-t-il quelqu'un ici qui parle anglais?... Je suis étranger,* se lit, pour plus de facilité : *Ekskyze-mwa... i jatil kelkoe ısi ki parle aglé?... ze suiz étrazé...*

Ces excellents ouvrages ont enrichi mon vocabulaire d'une foule d'expressions comme : *Garçon, le jacquet! (le zaké),* ou : *Perçoit-on un droit de péage pour traverser ce pont?...* dont je ne nie pas la nécessité en cas d'urgence, mais que je serais prêt à céder, pour un prix raisonnable, à un véritable amateur.

Etant donné mes difficultés avec ces mémentos remplis de *tire-boutons (tirbutô)* et de *harengs bouffis (bufi)*[1] si difficiles à placer au bon moment, j'ai pour un temps, et à l'instar de beaucoup de mes honorables concitoyens, adopté une solution de paresse : ne pas essayer de parler français ou le parler tellement mal que les Français qui se piquent de *spiker* l'English viennent à votre secours en faisant prendre l'air à leur anglais du lycée : *ze dineur iz raidi.* Vous êtes sûr, alors, non seulement d'avoir peine à être compris, mais de ne plus comprendre personne.

Il existe, pour un sujet britannique, une troisième manière : ne pas attaquer le français de front et profiter, pour mettre son voca-

1. Les lecteurs qui estimeraient que le Major exagère peuvent, pour plus de sûreté, se reporter à ses sources : si cela les amuse, ils trouveront un *jacquet* à la page 81 du *Mémento anglo-français* de William Savage, avec clef de prononciation et *appendices).* Quand aux *harengs bouffis (bloaters)*, ils navigent page 147 dans le *Traveller's Foreign Phrase Book* de J. O. Kettridge, F. S. A. A. *(Note du Traducteur.)*

bulaire au point, des séjours que les missions
ou les guerres lui auront permis de faire au
Canada ou en Belgique. Je ne saurais trop
signaler les périls d'une telle méthode

J'avais fait confiance aux Canadiens, qui
assurent être seuls aujourd'hui dans le monde
à parler le vrai français : celui de Montaigne.
Toutefois, je déconseille à un compatriote de
demander une paire de claques à un vendeur
de chaussures sous prétexte qu'il a besoin de
snow-boots, ou un char à un groom parce
qu'il veut un taxi...

L'expérience belge, si elle précède, comme
la mienne, le séjour en France, n'est pas
moins dangereuse. Je me rappelle l'air nar-
quois de cet agent immobilier auquel je
demandai, débarquant de Liège à Paris, s'il
pouvait me trouver un appartement de quatre
places[1].

« Dans le sens de la marche? » interrogea-
t-il; et son sourire me fit aussitôt sentir que
j'étais arrivé au pays de la repartie, peut-être

1. Les Belges disent « place » pour « pièce ». *(Note du
Traducteur.)*

sur le point d'être envoyé à Lariboisière, service du Ridicule, dans un état désespéré.

Aucun doute : pour parler un vraiment bon français, il fallait l'apprendre en France. N'était-ce pas le moins qu'épousant une Française je cherchasse (merci) à partager ses mots? Une fois sur place, pourtant, les choses devinrent encore plus complexes. Je savais déjà qu'il y avait une façon de parler le français au nord des Ardennes et une autre au sud. Mais j'ai été amené très vite à constater qu'il existe aussi une façon de parler le français au nord de la Somme, une seconde au sud de la Loire, une troisième à droite du Massif Central, et (environ) cinquante-cinq autres, de telle sorte qu'en fin de compte on ne saurait dire avec exactitude qui en France parle français. Les Lyonnais se moquent des Marseillais, les Bordelais des Lillois (quand ce n'est pas des Landais), les Niçois des Toulousains, les Parisiens de toute la France, et toute la France des Parisiens.

*

Décidé à me perfectionner, j'entrepris un grand voyage à travers le pays.

Certains experts m'ayant affirmé que la Touraine était le fief du beau langage, je fis une cure tourangelle. Quand je revins à Paris, ma très britannique complexion à fond rouge jaspé de bleu était, par la vertu du vouvray, plus haute en couleur que jamais; mais lorsque à mon premier dîner je crus bon en parlant d'un bourgueil de remarquer qu'il était très *gouleyant* pour dire qu'il vous tapissait agréablement la gorge, on me dévisagea comme un Huron. Plus tard, dans la soirée, ledit bourgueil ayant produit son effet, je m'enhardis jusqu'à confier à Martine qu'elle était *ameugnounante* à souhait (ce qui pour un ex-major de l'armée des Indes est simplement héroïque), mais, pour tout remerciement, je m'entendis demander *si ça n'allait pas tout à fait bien... non?*

Décidé à tout essayer pour me perfection-

ner, je poursuivis mes voyages. Pour satisfaire
à une certaine logique, j'allai d'abord rendre
visite aux Tiberghien, de Roubaix, que j'avais
connus pendant la guerre. M. Tiberghien
m'accueillit en me disant :

« Mettez-vous... »

Je supposai un instant qu'il allait me
demander si je mettais des caleçons de toile
ou de laine, mais il se contenta de répéter :
« Mettez-vous... » en m'indiquant un fauteuil.

Je m'y mis.

Quelque temps plus tard, arrivant à Marseille, j'entendis M. Pappalardo s'écrier en
me voyant :

« Remettez-vous, cher major Tommepes-
sonne! »

Je pensai qu'il allait m'apporter un cordial,
mais c'était là simple façon de m'inviter à
prendre un siège.

Je m'y remis.

Le français varie, en somme, avec la longi-
tude. Encore s'agit-il là du français que les
Français eux-mêmes entendent à peu près.
Mais, lorsqu'un Basque se met à parler la

langue du terroir (et il semble le faire avec
un plaisir particulier devant un Parisien ou
un étranger), on est en plein brouillard. Après
un bref séjour à Bordeaux, où j'appris que
mon linge, pour être repassé, avait été envoyé
chez la lisseuse, je fus donc heureux de retrouver Paris : en présence de Martine, je me
sentais plus à l'aise.

Les Parisiens savent-ils ou non parler français? A vrai dire quand, chez mes amis Daninos, j'entends le petit garçon dire à sa sœur :
« T'es pas cap de faire ça! »

... ou chuchoter en me regardant (ils
doivent me croire un peu dur de la conque) :

» T'as vu sa moustache? Drôlement au
poil!... Et son imper?... Trans!... »

... il m'est difficile de penser que ce langage
express est celui du pays de Montesq, pardon,
Montesquieu. On serait même en droit de se
demander si, à cette cadence-là, dans cinquante ans, la France n'aura pas perdu la
moitié de son vocabulaire. Avouez que ce
serait formid... Mais après tout, ils en sont
cap!

●

Pour en revenir aux Parisiens adultes, ils seraient à peu près compréhensibles pour un Anglais si beaucoup d'entre eux ne se croyaient obligés de truffer leurs phrases de mots anglo-saxons qui font bien pour les Français, mais mal aux Britanniques[1]. L'autre soir, dans un salon, une dame dont les paroles semblaient s'en aller par le fume-cigarette déclarait devant moi à un monsieur qui se prenait la tête dans la fumée :

« J'avais été invitée à la *previou* au *Heï-marquett Ciateur* à Londres... C'était au-

1. Le Major fait allusion à des expressions telles que *footing* qui pour les Français veut dire *footing*, mais les Anglais rien du tout, ou *smoking* qui pour les Britanniques est « fumant » et non pas *dinner-jacket*, sans parler de ces *English tea rooms* bien parisiens qui, comme cela peut se voir près de la Porte Maillot, affichent : *Five o'clock à quatre heures*. On peut également citer le cas de beaucoup de Français qui, ayant demandé à Londres qu'on leur indique les *water-closets*, s'étonnent d'être conduits alors à la cuisine, au fumoir ou dans le jardin d'hiver avant de découvrir le *lavatory*. *(Note du Traducteur.)*

quai... Mais à la première, ici, vendredi soir, la salle était d'un moche! C'est bien simple : rien que des plouks! »

Plouks? Ploucs? Plouques? Larousse ne m'a pas renseigné. Mais j'ai cru comprendre qu'il s'agissait de gens de peu. En tout cas, pas de *gens bien* [1].

Le monsieur dans la fumée s'étonna (à sa façon) :

« Jeannot n'était pas là?

— Ni Jeannot, ni Marcel, ni Jean... Personne... C'était mortel! »

Qui étaient ce Jeannot, ce Marcel et ce Jean dont j'entendais sans cesse parler à Paris? Un acteur, un auteur dramatique et un poète également célèbres. Ce monsieur et cette dame, sans doute, partageaient leur intimité?... Oui, avec deux ou trois millions de Parisiens. Il est de bon ton à Paris d'appeler les gens par leur prénom dès qu'ils ont franchi un certain stade de renommée.

Les Français sont, là encore, faits à l'inverses des Britanniques : vous pouvez les fré-

1. En français dans le texte.

quenter depuis dix ans, ils continuent à vous
dire « Monsieur Thompson »; mais ils dési-
gnent volontiers par son prénom quelqu'un
qu'ils ne connaissent pas et ne connaîtront
jamais. Nous qui n'hésitons pas, souvent, à
appeler quelqu'un par son prénom au bout
de quelques heures (sans pour autant devenir
familier), nous n'oserions point dire « Larry »
en parlant de Sir Laurence Olivier, à moins
de compter parmi ses amis.

Il existe cependant un terrain sur lequel,
sans se rejoindre tout à fait, les classes les
plus huppées de nos deux pays combattent
côte à côte : celui de l'*h*. L'Angleterre, aux
yeux d'un observateur superficiel, apparaît
comme une nation unie, mais elle est en réalité déchirée depuis des siècles par la guerre
de l'*h*.

L'une des principales aspirations de l'élite
britannique est celle des *h*. Afin de prononc-
cer, d'aspirer comme il faut, *Her Highness
the Duchess of Hamilton,* un Anglais n'hési-
tera pas à s'entraîner pendant vingt ans. J'en
ai vu qui mouraient sans y être parvenus.

Pour se venger, les gens du peuple évitent de prononcer les *h* quand il y en a *(a good otel)* et en mettent partout où il n'y en a pas *(an hangel)*. En France, la guerre de l'*h*, beaucoup moins virulente, s'accompagne comme chez nous d'une curieuse substitution : l'*e* devient *â*[1]. J'en ai eu une nouvelle preuve à Paris il y a quelques jours en entendant une précieuse dire avec un accent qu'elle espérait britannique :

« J'â pris le thâ cha la Pochâ, c'étâ parfâ! »

Martine a bien voulu traduire pour moi que cette distinguée personne avait été prendre le thé chez les Pochet avec plaisir, j'allais écrire plâsir... Le *parfait* n'est d'ailleurs qu'une des cent formes de superlatifs très recherchés, semble-t-il, par ces *happy few* pour qualifier une soirée, un film, une pièce. Les plus employés étant *Mhârvhailleux...* *Dhivin... Seûblime...* Le fin du fin semble être de faire suivre immédiatement ces qualificatifs du mot *quoi*. D'un ballet. un enthou-

1. *Rather* se dit (plutôt) *rathâ*. *(Note du Major.)*

siaste dira : « C'est *divin-quoi?* », ce qui est
une façon de vous dire : *Vous n'allez tout de
même pas penser le contraire, non?* de vous
entraîner dans son sillage et de vous prendre
de vitesse sans attendre de ne pas avoir entendu ce que vous ne disiez pas encore.

By Jove! Comment diable un ex-major de
l'armée des Indes pourrait-il saisir toutes ces
damnées nuances? D'autant que, dans ce
domaine comme dans les autres, les Français
adorent le paradoxe. D'un moucheron de
Picasso perdu dans le désert d'une toile
blanche, ils diront volontiers : « C'est hé-
naurme! » Mais, comme on discutait un jour
de la tour Eiffel, j'ai entendu une dame
s'écrier : « Moi, qu'est-ce que vous voulez, je
la trouve trop chou! »

*

J'étais allé l'autre soir dans un petit théâtre
où l'on jouait une de ces pièces dites d'avant-
garde parce qu'on ne les comprend qu'après

coup. Le dialogue fourmillait de perles de ce
calibre :

« Est-ce un fantassin?

— Non, c'est un hexagone. »

A chaque trouvaille de ce genre, ma voi-
sine, une initiée sans doute, émettait un petit
gloussement, un hoquet de gallinacé. Je la
vis à l'entracte au milieu d'un groupe de
connaisseurs qui se répandaient en *extrhaor-
dinaire* et *rhe-mâr-quhâble-quoi?* Il y a, au
pays de Descartes, une *intelligentzia* qui
ne trouve la lumière que dans l'obscurité.
Quelqu'un passa cependant — quelque
« plouk » obscur avide de clarté... — qui
avoua n'y rien comprendre.

« Mais pourquoi diable, lui dit ma voi-
sine, voulez-vous à toute force comprendre
quelque chose? Vous êtes d'un bourgeois! »

Quel étrange pays! Les ouvriers vitupèrent
les bourgeois. Les intellectuels les tournent
en ridicule. Les aristocrates les méprisent.
Mais les plus prompts à dénigrer la bourgeoi-
sie et à se souffleter du seul mot de bourgeois,
ce sont les bourgeois. Et le plus fort, c'est

que, des plombiers aux marquis en passant par les explorateurs, les journalistes et les acteurs, le pays tout entier, roulé dans la vague universelle de sécurité sociale, s'embourgeoise chaque jour davantage.

La France? Une nation de bourgeois qui se défendent de l'être en attaquant les autres parce qu'ils le sont.

XI

QUAND LE FRANÇAIS VOYAGE...

Je me rappellerai toujours ma visite au stade de Delphes. Moins en raison de la majesté du site, tout imprégné encore du mystère de la Pythie, qu'à cause de la réflexion d'un Français-de-Croisière qui, après avoir embrassé du regard ce haut lieu — un peu pour lui, un peu pour son kodak, un peu pour la France —, déclara à sa femme :

« Tu ne trouves pas, chérie, que ça rappelle le stade Jean-Bouin? »

Cette *very strange* réminiscence fit surgir dans ma mémoire cent observations de Français à travers le monde — de ces Français qui retrouvent le passage du Havre à Milan, la Côte d'Azur en Floride et Vézelay à Saint-Jacques-de-Compostelle. Quand un Anglais contemple la baie de Rio ou Saint-Pierre de Rome, il pense à Saint-Pierre de Rome ou à la baie de Rio. Moins simpliste, un Français profitera de la circonstance pour évoquer la baie de Naples et la cathédrale de Chartres.

L'Anglais qui part en voyage emporte dans sa valise son nécessaire de toilette, son parapluie, voire (s'il vient en France) un petit réchaud spécial pour son thé. Cependant, le douanier qui visiterait son crâne n'y trouverait rien à déclarer. M. Taupin oublie parfois sa brosse à dents, mais s'arme toujours d'un volumineux trousseau de comparaisons contre lequel toutes les douanes du monde, jusqu'ici[1], sont demeurées impuissantes.

Il y a quelque temps, je visitais Bruges avec les Taupin.

« C'est fou, dit M. Taupin, ce que cela me rappelle Venise! »

1. Le Major pense que dans un avenir assez rapproché les douaniers disposeront d'un appareil à contrôler la pensée. (Note du Traducteur.)

Six mois plus tard, comme notre gondole, ayant passé le pont des Soupirs, nous menait vers le petit théâtre de la Fenice :

« Oh! Tounet, s'écria Mme Taupin, regarde ce coin-là! Est-ce qu'on ne dirait pas Bruges? »

Il est normal, dans ces conditions, que les Taupin, naguère casaniers, mais atteints depuis peu de fringale touristique, se livrent de terribles batailles de souvenirs. A force de parler de Bruges à Venise et d'Amsterdam à Copenhague, ils ne peuvent plus savoir si, en 1949, ils étaient sur le Grand Canal ou sur le Zuyderzée.

Au Royaume de la Comparaison, la table tient une place d'autant plus importante que la confrontation s'exerce tout à l'avantage de la cuisine française (*la seule* [1]). Sûr de cette suprématie, le Français se montre à haute voix assez intraitable sur la façon d'être traité. Mme Taupin elle-même enseignerait aux autochtones leurs spécialités. Au moment d'attaquer des gnocchi *alla romana*, elle

1. En français dans le texte.

explique si bien comment elle les prépare
à la parisienne que je ne sais plus si je
déjeune piazza Rusticucci ou place de l'Alma.
Quant à M. Taupin, que le foie tracasse, il
semble toujours courir après sa côtelette : rien
n'est plus compliqué à trouver, à son avis,
que la cuisine simple.

« Ah! dit-il comme s'il s'agissait d'un vieil
ami disparu, ce brave pot-au-feu! »

La nostalgie de leur cuisine chez les Français à l'étranger m'a toujours frappé. Est-ce
parce que les Anglais ne sauraient souffrir
d'une telle mélancolie qu'ils sont à même de
coloniser le monde et de s'établir partout
sans regret! Peut-être...

*

Machine à comparer devant les monuments
ou les mets, l'infatigable Français se trans-
forme en machine à calculer dans les hôtels
et les magasins. Mme Taupin a une façon de
se servir de son mari comme table de conver-

sion que me laisse songeur. Je conserve intact
le souvenir de certains après-midi spéciale-
ment consacrés à la chaussure dans les rues
de Saint-Sébastien.

« 295 *pésètes,* chéri, ça fait quoi? »

Chéri lui expliquait qu'il fallait multiplier
par huit ou par neuf selon le cours :

« Environ deux mille quatre...

— Quand je pense, estimait Mme Taupin,
que les mêmes à Paris coûteraient le double...
au moins! »

Ils entraient. Achetaient. Puis rencon-
traient d'autres Français qui avaient trouvé
la même chose pour moitié prix (dans le
Sud). Fait étrange : plus l'article plaisait à
Mme Taupin, plus le taux de la monnaie,
ajusté par ses soins, était avantageux; pour
certaine paire de mules, je vis le cours de la
peseta descendre jusqu'à 7,50, ce qui était,
cet été-là, inespéré. En revanche, M. Taupin
eut moins de chance à Bilbao avec un trench-
coat à sa convenance, sinon au goût de
madame, et qui fit brusquement monter le
cours de la peseta à 12 francs.

« Je ne veux pas t'empêcher, Tounet, mais enfin c'est une plaisanterie : il y a les mêmes à Paris en mieux et plutôt moins cher... »

*

Ayant comparé les basiliques aux cathédrales, les volcans aux puys, les rii aux canaux, les pesetas aux francs, le Français se découvre de nouvelles ressources pour se comparer avec les autochtones. Il regarde le monde d'un œil amusé, souvent indulgent, volontiers critique, d'autant plus moqueur que la devise du pays est moins forte. A vrai dire, rien ne lui paraît très sérieux : les Américains sont de grands enfants, les Anglais des joueurs de golf, les Italiens des mangeurs de pâtes, les Espagnols des toreros, les Sud-Américains des estivants à perpétuité. Au fond, il se pose toujours la question : « Comment peut-on être Persan? »

L'Anglais, lui, ne se demande pas la même chose, du moins pas de cette façon. Il a appris une fois pour toutes que le monde comprend

les Anglais et diverses peuplades. Dans un
univers qui se malaxe de plus en plus, où l'on
trouve des Français aux Coco et des Canaques
à Stockholm, l'Anglais reste Anglais et ne se
mélange à rien. Trente kilomètres de mer et
un rempart historique fait de coutumes et de
costumes maintiennent son île à l'abri de
toute contamination. Lui-même, aussi peu
sujet au rhume de cerveau qu'à l'émotion,
invariable comme son article, traverse la planète telle une petite Grande-Bretagne en
mouvement, à la fois inaccessible et proche
comme son île. Il est *very much interested*
par les mœurs de tous ces *peoples* souvent si
funny, aren't they?..., et il les considère d'un
œil d'explorateur en mission chez les Zoulous,
allant jusqu'à les toucher à l'occasion du bout
de son *stick* ou de son ombrelle. De temps en
temps, il est *most surprised* de voir parmi ces
individus quelqu'un qui a l'air d'un vrai gentleman. Mais, au lieu de se demander comment cet homme peut être Persan, il se dit :
« Quelle *pity* qu'il ne soit pas *British!* »

Un écran magique lui apporte du monde

extérieur une vision indirecte et aseptisée; un waterproof invisible le protège de toute souillure extérieure : il sort intact des ruelles de Naples comme des foules du Brahma-poutre. Dès la frontière franchie, un Français se sent tenu de justifier sa réputation de don Juan au capital de deux mille ans de séduc-tion. Il veut aimer, il veut qu'on l'aime. Géné-reux dispensateurs du Rayonnement bien connu et des principes de 1789, il va chercher l'aventure jusque dans les quartiers malais ou noirs. L'Anglais, plus réservé encore que ces quartiers, se hâte vers le tea-room ou le Cercle britannique. A Bombay comme à Caracas, à La Havane comme à Lucerne, partout il prend appui sur ses points cardinaux : bacon, thé, club, whisky. La nuit venue, avec l'aide du Tout-Puissant, il s'endormira en pays *alien*. Il sait qu'à la moindre alerte il peut compter sur sa qualité de *British subject* comme jadis le Romain sur le privilège de son état : *civis Britannicus sum*. Son tragique mémento de poche l'en assure à l'article *Police, complaints* : « *On m'a volé mon porte-*

feuille! (mon sac de voyage!... mon man-
teau!...) ... Au voleur... Au feu... Au secours...
Chauffeur, au Consulat de Grande-Bre-
tagne! » On comprend aussitôt que le Foreign
Office, Scotland Yard et l'Intelligence Service vont être sur les dents. Pour peu que
l'affaire se gâte et dégénère en émeute, on
apprendra que le H. M. S. *Revenge,* cinglant
vers Aden, apporte protection à Mr. Smith.

*

Est-ce parce que M. Taupin ne se sent pas
aussi sûr de ses consuls et de leur pouvoir?
   Alors que je déteste m'embarrasser de
papiers, il adore partir avec des *lettres de
recommandation*[1]. Acquises au prix de mul-
tiples démarches, ces missives, filiales étrangères du piston métropolitain, avertissent le
duc de Rovedrego, l'alcade de Grenade ou le
Commendatore Ruspolo di Ruspoli que
M. Taupin fait un voyage d'agrément. Il
s'agit, bien entendu, de gens considérables

1. En français dans le texte.

qui, disposant de plusieurs résidences, châteaux et gentilhommières, sont toujours ailleurs. N'importe! avec ces damnées lettres qui ne touchent pas leurs destinataires, même quand ils les reçoivent, M. Taupin se sent plus tranquille : « On ne sait jamais[1]... »

Ainsi voyage M. Taupin... Il serait plus exact de dire : la France. Car c'est toute la France que M. Taupin exporte avec lui. Un Anglais, convaincu de la supériorité évidente de la Grande-Bretagne, se contente de la faire sentir (parfois désagréablement). Convaincu, lui aussi, de la supériorité de son pays, le Français extériorise la France : il est la France spirituelle, la France galante, la France de la liberté. Vercingétorix et Christian Dior, Pascal et la rue de la Paix — c'est lui. Lui qui, *at home*, dénigre ses Corps constitués au moindre prétexte, lui qui, à Paris, fera un

---

1. A la vérité, il arrive que l'un de ces grands personnages soit touché, au sens postal et affectif du terme, par la lettre. Certaines fois, même, il retient son hôte à déjeuner, à dîner et entre les repas, de telle sorte que M. Taupin, reçu comme on n'a pas idée de recevoir à Paris, ne peut plus rien voir du pays, ce qui est *too bad. (Note du Major.)*

succès beaucoup plus considérable à un roman
policier s'il est signé W. A. Thorndyke que
J. Dupont[1], le voici qui défend la France, ses
artistes, ses inventeurs, avec la foi d'un Croisé.
Qui songerait du reste à l'attaquer? Direc-
teurs d'hôtels et patrons de restaurants
viennent vers lui respirer un peu d'air parisien[2], et M. Taupin les accueille sur son terri-
toire ambulant avec une bonhomie satisfaite.
Le restaurateur dit : « Ah!... la France! » et
M. Taupin fait : « Ah!... » Puis son interlocuteur s'écrie : « Ah! Paris! » et M. Taupin
répond : « Ah!... » Le dialogue se poursuit
ainsi de *ah!* en *ah!* Le monde fond : il ne
reste plus que Paris.

« Il n'y a encore rien de tel, allez!... dit
M. Taupin.

— J'ai habité, précise l'Italien, *Rua des
Chiseaux...*

— Ah! soupire M. Taupin, cette bonne rue

1. M. Daninos m'a confié qu'il « perçait » beaucoup
plus rapidement comme simple traducteur de W. Marmaduke Thompson que sous sa seule signature. *(Note
du Major.)*
2. A l'étranger, tous les Français sont de Paris. *(Affir-
mation du Major.)*

des Ciseaux! (C'est la première fois — il me l'avouera ensuite — qu'il en entend parler...)

— *La Torre di Aïffel!...*

— Ah! la tour Eiffel!...

— Les Folies-Bergère!... »

Seconde pathétique, où M. Taupin et le restaurateur, après un *ah!* plus gaillard, échangent un clin d'œil...

Généreux et chevaleresque, M. Taupin conclut en chantant : « Tout homme a deux patries : la sienne et puis la France... »

Que l'étranger, pourtant, demeure sur ses gardes si, prenant le dicton à la lettre, il se fait un jour naturaliser. On pourrait lui rappeler assez vite que sa seconde patrie n'est pas la première et que, s'il n'est pas content...

... Après tout, la France aux Français!

XII

40 MILLIONS DE SPORTIFS

Il existe plusieurs belles époques pour visi-
ter la France, mais il en est une qui risque
de fausser votre jugement : celle qui s'étend
environ du 1er au 25 juillet. L'un de mes
premiers voyages en France se situa pendant
cette période. Venant de Gibraltar, j'avais
traversé les Pyrénées et poursuivais ma route
vers Paris lorsque, à un croisement, deux
gendarmes arrêtèrent ma course.

« On ne passe pas! » me dirent-ils.

Ayant encore, à cette époque, l'habitude
anglaise de ne jamais poser de questions,

j'obtempérai sans demander pourquoi. La vue
d'un grand déploiement de forces policières
m'incita d'abord à penser que l'on était sur
le point de cerner un bandit de grand chemin. Cependant, apercevant sur la Nationale
un nombreux public qui conversait joyeuse-
ment avec la maréchaussée, j'en déduisis que
l'événement était moins dramatique. Une
colonne de blindés à l'arrêt de l'autre côté
de la route, sur un chemin de traverse, me
fit croire un instant à un défilé militaire.
Mais non : car, bientôt, j'entendis le capitaine de gendarmerie dire au jeune lieute-
nant qui commandait les chars et manifestait
son impatience en se donnant de petits coups
de badine sur les bottes (ses hommes parais-
saient beaucoup moins fâchés) :

« Manœuvres ou pas manœuvres, on ne
passe pas! »

Il était clair, en somme, que personne ne
passerait, ni les Français avec leurs blindés,
ni le major Thompson avec sa torpédo, ni
même ce monsieur qui, ayant extrait son
importance d'une très importante voiture, le

classique coupe-file à la main, obtint pour
toute réponse ce : « Faites comme les autres,
attendez! » que je devais par la suite entendre souvent. Je conclus de ces prémisses
que tout trafic était interrompu pour laisser
la voie libre au Président de la République
et à sa suite, lorsqu'un cri jaillit des poi-
trines :

« Les voilà! »

Ce singulier pluriel me fit un instant sup-
poser que le chef de l'Etat allait apparaître
avec mes Très Gracieux Souverains, alors en
France. Quelle ne fut donc pas ma surprise
de voir surgir, en fait de Gracieuses Majestés,
deux individus mâles se dandinant sans grâce
sur leur bicyclette, curieusement vêtus de
boyaux et de maillots aux couleurs criardes,
à peine culottés, pour ainsi dire nus, crottés
et, dans l'ensemble, assez choquants à voir.
On voulut bien m'expliquer — sans que j'aie
rien demandé — que ces gens, faisant le tour
de France à bicyclette, gagnaient Paris le plus
vite possible par les voies les moins rapides,
ce qui me parut étrange. Mais, après tout, ce

sont là des choses au sujet desquelles un
Anglais, ne s'étonnant de rien, n'a pas à mani-
fester de surprise déplacée. De temps en
temps, à Londres, un citoyen, soit par caprice,
soit par amour du sport, traverse Piccadilly
en blazer rouge et culotte blanche, mais il
serait du dernier mauvais goût de se retourner sur lui. Chacun est libre d'agir et de se
vêtir à sa guise, sans crainte d'être remarqué,
dans un pays où le bon ton commande de voir
les gens sans les regarder.

Ce qui me stupéfiait — en l'occurence —
n'était pas tant la tenue négligée de ces messieurs, mais le fait que la circulation fût para-
lysée pour eux par les soins de la police. Pour
eux et pour un cortège de camions appartenant à des firmes de pâtes ou d'apéritifs
qui, à première vue, n'avaient rien à faire
dans l'histoire, mais y étaient, renseignement
pris, tout à fait liées. Je sais qu'il existe un
Tour d'Angleterre du même genre, mais si
peu semblable! D'abord nos coureurs, loin
d'interrompre la circulation, la suivent : ils
s'arrêtent aux feux rouges, *comme tout le*

monde[1]; il s'agit d'amateurs qui, à l'abri des
combinaisons publicitaires, se doublent en
s'excusant et quittent leur vélo pour le thé;
enfin ces jeunes gens, auxquels personne ne
prête attention, sont correctement habillés[2].

✱

Je n'arrivai à Paris que fort tard dans la
nuit. La situation au Bengale, où j'avais dû
— pour des raisons trop longues à exposer ici
et qui, du reste, ne regardent personne —
laisser Ursula, me préoccupait. En effet,
l'émeute grondait à Calcutta, la police avait
dû ouvrir le feu sur la foule et il y avait eu
eventually deux cents morts. Cela je le savais

1. En français dans le texte.
2. Le Major tient à souligner à ce propos que les shorts
anglais, s'ils veulent dire « courts », n'en sont pas moins
longs. Quand la culotte d'un rugbyman a été déchirée
au cours d'une mêlée et doit être remplacée sur-le-champ,
le joueur est aussitôt entouré par ses coéquipiers suivant
une technique très ajustée qui ne laisse aucune faille
par où pourraient plonger des regards indiscrets. Chez
les Français, au contraire, la technique de l' « entou-
rage », beaucoup plus lâche, constitue — selon le Major
— une invitation à voir davantage. (*Note du Traducteur.*)

déjà à Gibraltar[1]. Mais je voulais savoir plus. J'achetai donc la dernière édition, et même *toute dernière spéciale* d'un journal du soir où un titre étalé sur huit colonnes annonçait :

GARRALDI ET BIQUET ENSEMBLE DEVANT LES JUGES DE PAIX

Pensant qu'un grand procès arrivait à son dénouement, je m'apprêtais à lire les débats à l'ombre d'un alléchant sous-titre : *Le démon florentin trahi par ses domestiques,* lorsque mon œil fut attiré par une coupe transversale des Pyrénées qui s'étendaient au sud du journal. J'appris un peu plus tard que Garraldi et Biquet étaient les héros du Tour de France; par « juges de paix », il fallait entendre — suivant une de ces métaphores dont sont friands les chroniqueurs sportifs français — le Tourmalet et l'Aubisque; le *démon* était le « maillot jaune », et les *domestiques,* ses coéquipiers. Quant aux deux cents morts

1. Traduction littérale de « *I had already heard that in Gibraltar* ». (*Note du Traducteur.*)

de Calcutta, ils étaient enterrés en quatre
lignes sous le mont Perdu.

Je ne saurais donc trop recommander à
mes honorables compatriotes, si du moins ils
veulent être renseignés sur les événements du
monde en général et de l'Empire en particulier, de ne pas venir en France au mois de
juillet sous peine de voir le Commonwealth
soumis à la loi humiliante du *grand braquet*[1].

Quelques jours plus tard, comme je parlais

1. Un débat passionné s'est ouvert à cet instant entre
le Major et son collaborateur français, celui-ci rappelant
qu'un jour, de passage à Londres et préoccupé par la
situation internationale, il avait été alarmé par le titre
d'un journal qui la résumait en ces termes :

ENGLAND DESPERATE POSITION

... c'est-à-dire : *L'Angleterre dans une situation désespérée.* Un sous-titre lumineux : « *In spite of 6-3, be
proud of old England!* (Malgré le 6-3, soyez fiers de la
vieille Angleterre) », éclairait singulièrement la question.
Le collaborateur du Major pensait que de graves décisions
étaient annoncées, lorsque son regard fut attiré par le
petit carré réservé à la dernière heure où il put lire :

TEST SCORES
ENGLAND : FIRST INNINGS 435, HUTTON 169. COMPTON 64
RAMADIN 6-113, ATKINSON 3-78. FALL
OF WICKETS : 1-1, 2-12, 3-16, ETC.

... ce qui expliquait tout.

Renseignements pris, la situation désespérée était celle
de l'Angleterre en football où, pour la première fois

du Tour de France à mon ami le colonel
Turlot et lui confiais que je n'entendais rien
à toute cette affaire, il riposta en me révélant
qu'après avoir essayé à trois reprises de comprendre quelque chose à un match de cricket
il avait dû subir, chez un psychiatre londo-
nien, une longue séance de relaxation. Et il
ajouta :

« Savez-vous que des millions de sportifs
suivent chaque jour la course avec enthou-
siasme, mon cher Thompsonne?

— Voulez-vous dire, *my dear Tiourlott,*
qu'ils suivent les coureurs à bicyclette? »

Turlot me regarda en souriant comme si je
voulais *joker*. Non : les « sportifs » dont il
parlait luttaient bien chaque jour, mais seulement pour acheter la *toute dernière spéciale*

depuis quatre-vingt-dix ans, elle avait subi la défaite
contre la Hongrie (6 à 3).
    Quant à la dernière heure, c'était du cricket.
    « Comment, dit le Major, pouvez-vous comparer un
match historique, qui fut une humiliation nationale, à
votre damnée course cycliste? »
    Le visage du Major s'étant empourpré de façon sympto-
matique et la ligne bleue de ses temporales composant
le drapeau britannique des grands jours, l'adaptateur a
préféré, par crainte d'éclatement, interrompre la discussion. *(Note du Traducteur.)*

ou avoir la meilleure place à l'arrivée.

Je découvrais là une nouvelle et fonda-
mentale différence entre nos deux pays : les
Anglais se disent sportifs lorsqu'ils font du
sport. Les Français se disent sportifs lorsqu'ils
en voient. Il y a donc, aussi pénible que la
vérité puisse paraître à mes compatriotes, *plus
de sportifs en France qu'en Angleterre.* On
ne saurait d'ailleurs assurer que les Français
ne font pas de sport lorsqu'ils sont simples
spectateurs. Ne serait-ce qu'au cinéma, par
exemple, surtout à l'époque du Tour de
France. M. Charnelet y est venu plutôt pour
se détendre. Et voilà que, dès les actualités,
il est obligé d'enfourcher son vélo pour ava-
ler 700 kilomètres de route (car, si les coureurs n'accomplissent qu'une étape à la fois,
le spectateur, lui, doit en absorber cinq ou
six, quelle que soit son envie de monter le
Galibier ou de descendre le col d'Allos).
M. Charnelet, auquel on n'a pas demandé
son avis, roule donc dans l'*enfer des pavés
du Nord,* crève aux environs de Longwy,
dérape, repart décollé, embrasse une Alsa-

cienne d'étape, gravit, malgré ses furoncles, les lacets traîtres du Ventoux et, finalement, suprême punition, traverse les étendues désolées de la Crau. Rien de plus accablant que la traversée forcée de la Crau dans un cinéma des Champs-Elysées vers 22 h 30. Le peloton s'égrène. Le peloton musarde. Le peloton peine. Le peloton se regroupe. Le peloton tricote... On évalue à une quinzaine de millions les Français qui s'incorporent mentalement à ce peloton et se sentent un instant les jambes — que dis-je! — les *bielles dorées* de Garraldi, le « dieu des cimes », ou le mollet rageur de Biquet, le *courageux petit Français* auquel le méchant sort fait toujours des misères, mais qui saura se surpasser à l'heure critique.

*

Dans les stades, autour des rings et des courts, les Français ont une façon de gesticuler, de crier, de se démener et, en quelque sorte, de prendre de l'exercice qui contraste aussi fort avec le comportement d'un **Anglais** normal. Considérons un match de boxe, en France et en Angleterre. A première vue, il s'agit du même sport. En réalité, ce sont deux choses très différentes. Il en est de la boxe comme du reste : l'Angleterre a été le berceau du sport. La boxe, le tennis, le football, le golf sont tous des enfants anglais. Avec le temps, ils se sont émancipés, ils ont voyagé; on leur a fait commettre des mésalliances. La pureté même de leur essence a été polluée : entre ces vieilles filles qui, pour voir les finales du tournoi de Wimbledon, passent la nuit sur leur pliant en analysant comme un point de tricot le *drop-shot* de Drobny ou le *backhand* de Rosewall, et certains jeunes écervelés du stade Roland-Garros qui qualifient les amorties de *carottes* et les lobs de *chandelles* (surtout si c'est l'étranger qui les fait), il y a une distance quasi stellaire. N'importe : quoi qu'en dise le colonel Turlot, l'ancêtre du sport demeure anglais[1]. Le noble

1. Le colonel Turlot, présent, a pris violemment à partie le Major et, se précipitant sur lui armé d'un Larousse, lui a porté un violent coup de dictionnaire.

« *Cricket*, a-t-il lu, enfiévré. *exercice favori des Anglais;*

art de porter des coups et de les esquiver était
déjà à l'honneur sous Guillaume le Conquérant alors que les Français pratiquaient tout
juste la savate aux barrières de Paris. Or
aujourd'hui, que se passe-t-il? A Londres, le
spectacle est sur le ring. A Paris, on se bat
dans la salle. Chez nous, on entendrait voler
une mouche. En France, on n'entendrait pas
un avion. En Angleterre, où des gentlemen
en smoking discutent gravement de la haute
valeur de l'esquive, on respecte l'arbitre
comme un dieu. En France, où seule l'attaque
commande le respect, on discute l'arbitre,
que dis-je? on le conspue, on le vitupère :
c'est un ennemi.

n'est en réalité qu'une modification de l'ancien jeu français de la crosse. S'écrit parfois, à la française, criquet... »
— *Ridiculous!* s'est écrié le Major.
— ... « *Golf*, a poursuivi, très maître de lui, le Colonel : *a fort probablement pour ancêtre un vieux jeu
français, le mail...* »
— *Preposterous!* (Absurde!) a ricané le Major.
— ... « *Tennis...*, a continué, imperturbable, le Colonel, *procède du vieux jeu français de la longue paume...* »
— Tout le monde sait que le lawn-tennis a été inventé
par mon honorable ancêtre major Wingfield en 1874 »,
s'est fâché tout rouge le Major qui, pour éviter le pire,
est allé prendre le thé. « Tea... », a-t-il souligné en
claquant la porte. (*Note d'un témoin*)

Enfin et surtout, tandis que les Français criblent le *toquard* de sarcasmes, les Anglais l'encouragent.

*

Ce respect du plus faible, cette préoccupation presque instinctive de lui *donner une chance* dans un combat inégal sont des lois non écrites du Royaume auxquelles obéissent de façon analogue pêcheurs et chasseurs. Pour discréditer à jamais quelqu'un, un Anglais dira de lui : *He's shooting a sitting bird* — littéralement : « Il tire un oiseau assis. » Je suis effrayé à la pensée qu'en France la règle qui veut que l'on ne tue pas un volatile à pattes ne soit pas — me dit-on — toujours respectée, mais *of course* je n'en crois rien[1].

Le même culte de la difficulté guide l'Anglais à la pêche. Sur le Test, l'une des plus nobles rivières du Hampshire, il serait criminel de pêcher au couchant : à l'instant même où, la lumière baissant, la truite monte

1. Tournure de phrase assez hypocrite, le Major étant intimement persuadé du contraire. *(Note du Traducteur.*

et devient plus « facile », le gentleman qui a passé sa journée à guetter le poisson dans une chaleur torride pliera bagage pour regagner Londres. Dois-je ajouter que se servir d'un ver comme appât est un affreux délit et que l'on regarde plutôt de travers les faux sportifs de la mouche mouillée[1]?

Je ne doute pas que les sportsmen français soient guidés par un même souci d'équité. Ils sont pourtant si différents! Quand un Anglais pêche le saumon de sa vie, il le fait naturaliser. Le Français le mange (après s'être fait photographier avec sa prise). Si un Anglais pêche une truite d'une taille inavouable, il la remet à l'eau. Un Français est plutôt tenté de manger. Un Français mange toujours. Non pas tellement parce qu'il a faim. Mais — sans parler de cette peur du ridicule qui nous hante si peu et le travaille tellement s'il *revient bredouille*[2] — une distraction lui paraît d'autant plus sotte qu'elle ne sert pas à quelque chose.

1. La mouche sèche est la seule admise. (*Note du Major*.)
2. En français dans le texte.

Cette préoccupation utilitaire nous échappe. En fait, les Français répugnent à faire des choses qui ne soient pas utiles (je me suis laissé dire qu'ils faisaient plus facilement trois enfants que deux non par distraction, mais par souci des Allocations familiales). Un père fait apprendre l'anglais à son fils non pour la beauté de la langue (toujours relative aux yeux d'un Français), mais parce que *cela peut lui servir plus tard*[1]. Dans la famille Turlot, il y a par principe un fils qui apprend l'allemand *pour pouvoir être interprète pendant la guerre*.

A l'encontre des Français, les Anglais adorent faire des choses qui ne servent strictement à rien. Il n'y a guère qu'en amour où ils répugnent à faire des choses superflues comme *la cour*[2], voire l'amour même. Mais, dès qu'il s'agit d'entreprises sérieuses comme

1. En français dans le texte. Le Major, irrité par le doute que contient cette estimation, n'a pas voulu la traduire. *(Note du Traducteur.)*

2. Discutables comme pêcheurs, les Français sont pourtant maîtres dans l'art de *noyer le poisson* lorsqu'ils font la cour et n'ont pas d'égaux pour arriver à leurs fins avec les femmes en leur parlant de Proust ou du cinémascope. *(Note du Major.)*

la pêche ou la chasse, le plus modeste d'entre
eux se ruine volontiers en dépensant des trésors d'inutilité pour l'amour du sport.

Il y aurait encore beaucoup à ajouter sur
le sport traité par les Anglais et maltraité par
les Français. Et je m'aperçois qu'après avoir
moi-même beaucoup écrit, je n'ai encore rien
dit sur le sport qui réunit en France le plus
de pratiquants (plusieurs millions contre deux
cent mille boulistes). Je veux parler de l'automobile qui vaut à elle seule un développement spécial et mérite d'être étudiée dans un
coin tranquille où l'on puisse méditer à son
sujet sans risque d'être écrasé. Peut-être aurez-
vous cette chance, à moins que vous ne lisiez
entre les clous...

XIII

LA FRANCE AU VOLANT

Il faut se méfier des Français en général, mais sur la route en particulier.

Pour un Anglais qui arrive en France, il est indispensable de savoir d'abord qu'il existe deux sortes de Français : les à-pied et les en-voiture. Les à-pied exècrent les en-voiture, et les en-voiture terrorisent les à-pied, les premiers passant instantanément dans le camp des seconds si on leur met un volant entre les mains. (Il en est ainsi au théâtre avec les retardataires qui, après avoir dérangé douze personnes pour s'asseoir, sont

les premiers à protester contre ceux qui ont
le toupet d'arriver plus tard.)

Les Anglais conduisent plutôt mal, mais
prudemment. Les Français conduisent plutôt
bien, mais follement. La proportion des accidents est à peu près la même dans les deux
pays. Mais je me sens plus tranquille avec
des gens qui font mal des choses bien qu'avec
ceux qui font bien de mauvaises choses.

Les Anglais (et les Américains) sont depuis
longtemps convaincus que la voiture va
moins vite que l'avion. Les Français (et la
plupart des Latins) semblent encore vouloir
prouver le contraire.

Il y a, au fond de beaucoup de Français,
un Fangio qui sommeille et que réveille le
simple contact du pied sur l'accélérateur. Le
citoyen paisible qui vous a obligeamment
invité à prendre place dans sa voiture peut
se métamorphoser sous vos yeux en pilote
démoniaque. Jérôme Charnelet, ce bon père
de famille qui n'écraserait pas une mouche
contre une vitre, est tout prêt à écraser un
piéton au kilomètre pourvu qu'il se sente

dans son droit. Au signal vert, il voit rouge.
Rien ne l'arrête plus, pas même le jaune. Sur
la route, cet homme, qui passe pour rangé, ne
se range pas du tout. Ce n'est qu'à bout de
ressources, et après avoir subi une klaxonnade
nourrie, qu'il consentira, de mauvaise grâce,
à abandonner le milieu de la chaussée. (Les
Anglais tiennent leur gauche. La plupart des
peuples leur droite. Les Français, eux, sont
pour le milieu qui, cette fois, n'est pas le
juste.)

Le seul fait d'être dépassé rend M. Charnelet d'une humeur exécrable. Il ne recouvre
sa sérénité qu'en doublant un nouveau rival.
Entre-temps, sa petite famille n'a qu'à bien
se tenir. Malheur à Mme Charnelet si elle
ne trouve pas dans la voiture, au commande-
ment de son mari, la « Moitié de la France-
Sud » (qu'il a oubliée, avec le porte-cartes,
sur la cheminée du salon). Malheur à elle si
elle ne répond pas dans l'instant à la question : « Avallon-Châlons, combien? » — et
même si elle y répond, car M. Charnelet,
sadique au petit pied (sur l'accélérateur),

savoure d'avance le plaisir qu'il aura à lui
démontrer que son calcul est faux. Les enfants eux-mêmes sont dressés. « Quand votre
père aura soif, vous boirez! »

Surtout pas d'arrêt intempestif! « Vous
n'aviez, dit M. Charnelet, qu'à faire ça
avant », et l'on souffre en silence pour hono-
rer cette toute-puissante déesse du Français
moyen : la Moyenne.

Quand un automobiliste anglais s'apprête
à faire 300 miles en Angleterre, il pense à
faire 300 miles.

Quand un Français monte dans sa voiture
pour faire 600 kilomètres, il a l'esprit aux
deux tiers occupé par sa moyenne, le dernier
tiers étant rempli d'astérisques et de four-
chettes. Je veux parler des sigles fameux de
son cher « Michelin ». Son rêve, c'est, après
avoir fait 90 de moyenne pendant trois
heures, de trouver un restaurant ✖✖❁❁❁
si possible dans un site ★ ★ ★ et à proximité
d'un 🛠 (sérieux) pour vérification des bou-
gies et vidange. L'Anglais se permettra tout
juste de penser à prendre un bon ☕ après

avoir bu un bon *t*. Du moins, s'il reste en
Angleterre. S'il vient en France, il devra avant
tout s'efforcer de conduire du bon côté de la
route, lequel est pour lui le mauvais.

*

Voilà bien le problème le plus délicat. En
effet, les Français ont une façon de tenir leur
dextre en glissant toujours vers la gauche qui
rappelle étrangement leur penchant en politique, où les pires conservateurs ne veulent à
aucun prix être dits « de droite ». C'est pourquoi un automobiliste anglais arrivant en
France a parfois quelque peine à savoir où
rouler. Il lui faudrait, en réalité, aller jusqu'au Kenya pour retrouver des gens nor-
maux qui conduisent à gauche, calculent en
miles, pèsent en livres *avoirdupois* et dont la
température normale est 98°,4[1]. En attendant,
il doit s'accoutumer à cette zone monotone
du système métrique, qui ne laisse aucune
place à la glorieuse incertitude de nos vieilles

1. Fahrenheit, naturellement. *(Note du Major.)*

mesures : once, boisseau ou picotin. Un kilomètre reste tout bonnement mille mètres,
alors que chez nous un mile vaut merveilleu-
sement huit furlongs, un furlong deux cent
vingt yards, un yard trois pieds, un pied
douze pouces... Le *pocket-book* du parfait
voyageur remet, il est vrai, les choses en place
en rappelant que, pour transformer les centi-
grades en fahrenheit, « *il suffit de multiplier
par 9, diviser par 5 et ajouter 32 degrés* ».
Quant à convertir les kilomètres en miles,
c'est encore plus simple : « *Multipliez par 5
et divisez par 8[1].* »

Lors d'un de mes premiers voyages en
France, subissant les effets conjugués d'une
mauvaise grippe et d'une mer plus mauvaise
encore, je voulus m'arrêter un instant dans
un hôtel de Calais pour y prendre ma température. Le thermomètre n'ayant indiqué que
40 et trois dixièmes, j'étais reparti confiant

---

1. Contrairement à ce que l'on pourrait croire, une
fois encore le Major n'invente rien. Ces indications pra-
tiques sont données par le *Traveller's Foreign Phrase
Book,* mémento de J. O. Kettridge, F. S. A. A., à l'usage
des Anglais, et dont il a été question page 156, note 1.
(Note du Traducteur.)

après avoir ouvert la capote de ma torpédo et roulais plaisamment, pare-brise baissé, lorsque je me rappelai être passé chez ces damnés Continentaux qui ne peuvent rien faire comme tout le monde. Je me mis aussitôt en devoir de convertir ma température continentale en fahrenheit et les kilomètres en miles.

J'étais en train de multiplier 274 par 5, de diviser par 9 et d'ajouter 32 degrés à la distance Calais-Paris, lorsque la vue d'une automobile arrivant en sens inverse sur le même côté de la route que moi me fit soudain comprendre que, perdu dans mes calculs, j'avais oublié de tenir ma droite. Je me rabattis à temps sur le bon côté et freinai, tandis que mon vis-à-vis, s'arrêtant à ma hauteur, me criait à bout portant :

« Complètement cinglée, la guêpe, non? Tu t'crois encore chez les rosbifs? »

Puis, comme s'il prenait mon silence pour de l'incompréhension, l'homme, tout en démarrant, me regarda en se frappant le front de son index à petits coups rapides.

*

Ce geste, je devais vite l'apprendre, est un véritable rite.

Il m'est maintes fois arrivé, depuis cette époque, de prendre la route avec M. Taupin ou M. Charnelet et, pour des raisons souvent obscures, de les voir, au moment où ils dépassent un autre automobiliste, le fixer du regard en se frappant le front. Très souvent, le dépassé, pour un motif non moins mystérieux, rattrape M. Taupin et lui tient le même langage muet, mais en se servant cette fois de son index comme d'un tournevis sur sa tempe. J'en ai déduit que les Français passent leur temps sur la route à se demander s'ils ne sont pas fous et trouvent presque aussitôt quelqu'un pour leur confirmer qu'ils le sont.

Il est curieux de constater qu'un grand nombre de ces gens qui se battent volontiers à coups de Littré, et avancent dans la vie le long de la Seine à la moyenne académique de

sept mots par semaine, abandonnent toute
retenue de langage, de correction ou de prudence dès qu'ils se trouvent en voiture[1]. Les
Français naissent syntactiques comme d'autres
navigateurs ou mélomanes, mais ne semblent
plus du tout se soucier de syntaxe dès l'instant où ils sont au volant. M. Taupin, qui
dévore dans son journal la rubrique consacrée
à la défense de la langue française et n'hésite
pas à semoncer par lettre un journaliste s'il
a écrit *partir à* au lieu de *partir pour,* fait
alors une impressionnante consommation de
tête de lard ou de *peau de fesse..*

Au pays de la mesure, on est toujours surpris de voir des gens perdre leur contrôle.
Mais qu'ils le perdent avec un volant dans
les mains peut être lourd de conséquences.

1. On comprend dans ces conditions pourquoi les Français ont été si surpris par les excuses publiques qu'un
automobiliste anglais repentant fit paraître il y a quelque
temps dans les petites annonces du *Times* à l'adresse
d'un de ses compatriotes pour lequel il avait eu un
mot un peu vif. Un Français aurait plutôt cherché à
rattraper son adversaire pour lui en dire davantage et
essayer, par le truchement d'une « queue de poisson »
savamment exécutée, de l'envoyer dans un platane.
(Note du Major.)

Au moins doit-on leur rendre cette justice :
ils s'annoncent en général de loin. La règle
d'or des automobilistes anglais est de passer
inaperçus. Un Français cherchera plutôt à
étonner tout le monde sur la route jusqu'à
temps qu'il n'aperçoive plus personne. Pour
y parvenir, il fera le plus de bruit possible.
La plupart des automobiles du monde marchent à l'essence. Les autos françaises marchent au klaxon. Surtout quand elles sont
arrêtées [1].

*

On pourrait croire que l'appétit de vitesse
du Français est fonction de la puissance de sa

1. Allusion non déguisée aux encombrements parisiens.
(Peu après cette publication, M. Dubois, préfet de police,
supprimait l'usage de l'avertisseur à Paris. *Note de l'éditeurs.*) Pour les Anglais, klaxonner c'est émettre un bruit
inconvenant. L'avertisseur, dont l'usage en France est une
obligation ou un passe-temps, ne saurait être employé
en Angleterre qu'*in case of emergency*. Je me trouvais
un jour à Londres dans l'*Austin of England* du Major
lorsque l'envie me prit de fumer. Par mégarde, au lieu
d'appuyer sur l'allume-cigarettes, je déclenchai l'avertisseur. Aussitôt dix paires d'yeux (sans compter celle
du Major) me foudroyèrent. Je serais volontiers rentré
sous le capot.
Sur la route, le conducteur anglais, sacrifiant la sécu-

voiture. Erreur. Plus la voiture est petite, plus l'homme veut aller vite. En ce royaume du paradoxe, les automobiles les moins dangereuses sont les plus puissantes, leurs conducteurs, blasés, étant les seuls qui se paient le luxe de rouler plutôt « en dedans de leurs possibilités » et d'aller plus vite que tout le monde *sans pousser*[1].

Quant aux Françaises, il faut leur rendre cette justice : elles conduisent plus lentement que les hommes. Un Anglais pourrait donc, en toute logique, se croire plus en sécurité avec elles. Nouvelle erreur. Dans un pays où tout le monde va vite, cette lenteur constitue le plus terrible des dangers. Si l'on y ajoute un certain « flou » dans l'allure, et ce charmant esprit d'indécision grâce auquel on peut déduire de l'allumage d'un *clignotant* gauche

rité à la politesse, ne quitte guère son rétroviseur des yeux. S'il aperçoit une voiture prête à le doubler, il lui fait signe dès que la voie est libre. Nul besoin de klaxon. Il y a évidemment aussi les voitures qui viennent en sens inverse dans les tournants. Mais on préférerait mourir plutôt que de klaxonner. On meurt donc très souvent ainsi. *(Note du Traducteur.)*

1. En français dans le texte.

qu'une conductrice va tourner à droite (encore n'est-ce pas tout à fait sûr), on concevra que rien n'est plus risqué que d'être piloté par une femme.

Il existe cependant un super-danger dans ce pays, où, comme dans beaucoup d'autres, tant de femmes ne savent ni conduire ni fumer : ce sont celles qui conduisent en fumant.

Le plus sûr, si par malheur ce souriant fléau vous menace sur la route, est de se faire arrêter à la ville la plus proche et de prendre le train.

XIV

LES BEAUX DIMANCHES

Il n'est pas interdit de penser que, si l'Angleterre n'a pas été envahie depuis 1066, c'est
que les étrangers redoutent d'avoir à y passer un dimanche.

Mais il est permis — si l'on compare le
dimanche anglais qui vous contraint à l'ennui
au dimanche français qui vous oblige à l'amu-
sement — de se demander quel est celui des
deux qui est, en définitive, le plus dur à passer.

Beaucoup de Français s'interrogent toute
la semaine sur ce qu'ils feront le dimanche.
Très souvent le dimanche arrive sans qu'ils

aient répondu à la question. Du moins en
est-il ainsi avec les Taupin ou les Robillard,
qui m'ont maintes fois avoué :

« Que voulez-vous, le dimanche, on ne sait
pas quoi faire... »

C'est là un genre d'hésitation dont ils ne
souffriraient certes pas en Angleterre, où il
n'y a guère autre chose à faire le dimanche
que de penser à ce que l'on fera dans la
semaine.

A dire vrai, je ne connais peut-être rien de
plus accablé, ni de plus accablant à voir, que
la tête dominicale de M. Robillard s'amusant
à pousser lui-même le dernier-né dans son
landau le long des Champs-Elysées, distri-
buant une taloche à l'aîné parce qu'il a traversé tout seul, attrapant la petite parce
qu'elle ne voulait pas traverser du tout, demandant à madame, alléchée par les devan-
tures : « Tu avances, oui ou non? » enfin
pénétrant dans le Bois au milieu d'un flot de
promeneurs dont la tête ressemble curieusement — j'allais écrire furieusement... — à la
sienne. Tout ce monde qui marche, marche

jusqu'à un certain point où il s'arrête, s'assoit et commence à regarder le monde qui marche vers d'autres points, tandis que le monde qui roule regarde le monde assis le regarder passer.

Le dimanche, la moitié de la France regarde l'autre.

Les Parisiens en tenue de campagne rendent visite aux campagnards déguisés en tenue de ville. Les premiers s'étonnent de voir tant de drap noir et de cols blancs parmi les vaches et la luzerne; les seconds considèrent avec quelque méfiance ces faux Anglais en veste de tweed et sans cravate...

A la fin des belles journées, les en-voiture, retour de la campagne, regardent avec quelque mépris les à-pied qui ont dû se contenter de l'air du Bois, lesquels sourient goguenards devant la file des autos agglutinées en se demandant s'il ne faut pas être un peu-oui pour aller faire la queue sur l'autoroute. Cependant la foule des « sportifs » — ceux des hippodromes qui ne comprennent pas comment on peut passer son dimanche à voir des gens taper sur un ballon, et ceux des stades qui se demandent comment on peut se réjouir de confier son argent à des chevaux — s'allient un instant pour unir dans un même mépris leurs concitoyens qui perdent leur temps sur la route ou dans les avenues.

En été, assis sur des chaises cannées extraites de leurs loges, les concierges attendent, commentent, et pointent les retours.

Quelques individualistes, par esprit de contradiction autant que par goût profond, décident ce jour-là de rester chez eux pour cogner sur des clous, ranger les choses qu'ils dérangent, ou s'adonner au sport national du bricolage qui consiste essentiellement à fabriquer avec de vieux débris, et au prix d'un labeur acharné, des articles que l'on trouve tout neufs et à bon compte dans le commerce courant. (Le bricolage constitue en France une activité trop importante pour ne pas mériter un développement spécial : je vais y revenir.) Ces partisans du dimanche-à-la-maison rejoignent dans une certaine mesure la masse des citoyens britanniques, plutôt occu-

pés à embellir leur jardin, à dévorer le compte
rendu des affaires de divorce dans les épais
journaux dominicaux, ou à déjeuner aussi
mal mais un peu plus.

Pour le reste, quel contraste, une fois encore, entre ces deux peuples!

*

Dans son insondable caprice, le Créateur
nous aura faits à l'opposé de nos voisins jusqu'à la dernière seconde du septième jour.

La France et l'Angleterre ont l'une comme
l'autre deux visages : celui de la semaine et
celui du dimanche; mais la première montre
le sien pendant que la seconde le cache.

Le dimanche, le Français soigne sa mise.
L'Anglais la néglige : tandis que son voisin
s'habille[1], lui a plutôt tendance à se désha-
biller[2]. Ce jour-là les Français se rasent de

___

1. En français dans le texte.
2. Sauf pour aller à l'église, du moins s'il y va. Le
plus souvent, dans les petites villes surtout, l'Anglais
ne va pas tant à l'église pour y aller que pour voir qui
n'y est pas. *(Note du Major.)*

plus près. Les Anglais... non... il n'y a pas deux façons de se raser pour un Anglais, quoiqu'il ait, après tout, une manière bien à lui de se raser le dimanche [1].

Tandis que mes compatriotes traversent *at home* cette journée d'immobilisme dans ce qu'ils ont de plus stoppé, laissant seuls quelques nouveaux riches sans éducation s'habiller correctement, les Français sortent de chez eux repeints pour se produire dans leurs plus beaux atours : *le costume du dimanche* [2]. Il ne saurait être question de *costume du dimanche* pour un Anglais, si ce n'est un Anglais sans relations ni pudeur, c'est-à-dire rare.

Le fin du fin pour un Français est d'être *tiré à quatre épingles,* expression qui ne possède, pas plus que *s'endimancher,* d'équivalent exact dans la langue de Shakespeare [3].

1. Le traducteur a demandé au Major s'il employait ce verbe au propre ou au figuré, mais le Major, souriant, n'a pas cru devoir préciser sa pensée. (*Note du Traducteur.*)

2. Snobs exceptés, bien sûr... (*Note du Traducteur.*)

3. Les expressions *dressed up to the nines,* difficilement traduisible ou *just stepped out of a bandbox* (« tout frais sorti d'un carton ») sont plutôt péjoratives. (*Note du Major.*)

Face à l'Anglais, qui conserve un côté sport
en *smoking*[1], le Français garde un certain
apprêt en tenue sport, et bien souvent, en
pantalons de golf, n'a pas l'air tout à fait vrai.
A l'image des « bleus » que l'on distingue en
un clin d'œil des « anciens » parce qu'ils n'ont
pas assimilé l'uniforme — serait-il insuffisam-
ment culotté?

Après tout, il faut savoir ce que l'on est
avant ce que l'on veut être. Nous jouions
déjà au golf depuis cinq cents ans quand en
1635 l'Académie française fut fondée. N'est-
ce pas tout à l'honneur et à l'avantage des
Français que d'avoir l'air plus naturel en aca-
démiciens qu'en knickerbockers?

*

A l'encontre de son voisin de planète, qui
aime briller comme un sou neuf, l'Anglais a
le neuf en horreur et le considère plutôt

1. Je veux dire, naturellement, *dinner jacket,* mais il
faut bien, en France, écrire l'anglais comme les Français.
(Note au Major.)

comme de la fausse monnaie. Pour lui, le vrai chic est inséparable d'une certaine patine qui peut aller jusqu'à l'accroc volontaire. Naguère, à l'époque où les Français donnaient leurs vieux habits à leurs serviteurs pour que ceux-ci les finissent, les *dandies* faisaient porter leurs vêtements neufs par leurs *butlers* pour qu'ils les commencent. Aujourd'hui les *boys of Belgravia* [1] portent leurs complets neufs en cachette jusqu'à ce qu'ils soient sortables. De son côté, le Français (moyen) usera ses *vieilles affaires* jusqu'à la corde, gardant pour le dimanche son costume neuf.

La manière des Anglais qui vivent six jours par semaine et se laissent mourir chaque dimanche peut surprendre l'étranger, mais celle de nombreux Français qui font alterner le régime-apparat et le régime-veilleuse n'est pas moins étonnante.

Ce souci de préserver les choses neuves et de n'en profiter — moins pour lui que pour les autres — qu'à la dernière extrémité (celle

1. Mot forgé par le Major et désignant le pays qui s'étend autour de Belgrave Square, un des quartiers les plus huppés de Londres. (*Note du Traducteur.*)

de la semaine en l'occurrence) est sans doute
un des traits caractéristiques du Français, qui
craindrait peut-être de se rouiller s'il ne se
passait hebdomadairement au minium.

Ma visite chez les Turlot allait me révéler
d'autres aspects du prévoyant et soigneux
Français.

XV

LES DIABOLIQUES INVENTIONS
DES FRANÇAIS

Lorsque j'arrivai pour la première fois à
Saumur chez mes amis Turlot, un jour d'été,
leur maison de la rue Dacier paraissait morte
derrière ses volets clos. La bonne qui m'avait
ouvert la porte me fit d'abord chausser d'étranges patins de feutre peut-être destinés à préserver le parquet mais plus encore à vous faire
perdre l'équilibre; puis elle me conduisit
dans un salon assez vaste imprégné d'une
odeur de moisissure et de cretonne. Quoique
le soleil filtrât par les lames des persiennes,

mes yeux durent s'habituer à la demi-obscu-
rité avant de percer le mystère qui m'entou-
rait : partout des formes blanches. On devi-
nait, plus que l'on ne voyait, plusieurs
fauteuils, un sofa, un piano à queue, un
bahut et quelque chose comme une harpe,
mais tous ces supposés objets étaient recouverts de housses. Aux murs étaient accrochés
de nombreux tableaux, mais il était difficile
de savoir ce qu'ils représentaient — non que
leur école fût particulièrement surréaliste,
mais parce qu'ils étaient recouverts de papier
journal. La seule chose qui paraissait animée
de mouvement était une pendule. Encore son
tic-tac vous venait-il de sous une enveloppe
blanche qu'un Amour de bronze avait percée
de sa flèche. Dans un angle, au-dessus d'une
console, deux sabres de cavalerie étaient
entrecroisés, tous deux à l'abri dans leurs
gaines de toile jaune. J'arrivais mal, sans
doute : les Turlot déménageaient. Ou bien
ils avaient eu des revers de fortune : ils ven-
daient, on allait emmener le mobilier.

L'apparition d'une housse grise d'où émer-

geait la tête du colonel mit fin à mes suppo-
sitions pessimistes :

« Excusez-moi, mon cher Major, je brico-
lais. »

Je me suis longtemps demandé en quoi
consistait exactement le bricolage du colonel
Turlot. A plusieurs reprises, par la suite, je
devais pénétrer dans ce que le colonel appelle
son « labo » et le voir affairé devant un
curieux appareil à oscillations et une sorte de
condensateur sans deviner toutefois à quel
secret de fabrication il se livrait. Je crois pouvoir aujourd'hui assurer que la pièce maîtresse à laquelle il travaille depuis sept ans
est un poste de radio, monté de toutes pièces
par ses soins, qui lui a coûté plus de
40 000 francs et lui permet d'entendre, par
beau temps, les programmes du Massif Central. Il pourrait entendre le monde entier
avec le même poste vendu couramment
22 700 francs dans tous les magasins spécia-
lisés, mais il n'y a qu'un borné d'Anglais
pour ne pas saisir la nuance.

*

Le bricolage du colonel Turlot est du type artisanal, sans doute le plus répandu, mais il existe également un bricolage de luxe. C'est celui auquel se livre M. Charnelet sur sa voiture. Dès qu'il a acheté une voiture, M. Charnelet n'a qu'une hâte : la transformer afin de la rendre *moins série*. Aidé par d'innombrables marchands qui lui vendent chacun un petit quelque chose — clignotant, catadioptre ou banane — en lui disant : « *Avec ça, vous n'aurez pas la voiture de tout le monde*[1] », M. Charnelet adorne son véhicule de toutes sortes d'accessoires jusqu'à le rendre, avec le changement de calandre, méconnaissable. Le dimanche de bon matin, parfois en

1. Excellent « support » de publicité et argument-massue de vente dans ce pays où l'on ne cesse de vous dire : « Faites comme tout le monde » en vous persuadant finalement de n'agir comme personne. En France, les gens ont horreur de se faire remarquer par crainte panique du ridicule, mais font tout pour ne pas passer inaperçus. La crainte du ridicule les freine (elle ne saurait envahir un Anglais puisque, étant Anglais, il ne peut être ridicule), mais le désir de montrer leur personnalité les éperonne. (*Note du Major.*)

semaine entre les heures de bureau, il s'en-
ferme seul avec sa voiture dans le Bois de
Boulogne, sort sa « nénette », astique ses
chromes, lisse sa peinture, ennuyé mais ravi
lorsqu'un flâneur vient rôder alentour pour
demander finalement confirmation de la
marque.

A côté de ce bricolage de luxe, le bricolage
courant, quotidien même, est plus captivant
encore à étudier, car il fait partie intégrante
de la vie de l'individu. Parmi ses manifesta-
tions typiques : le filtre, plus exactement le
café filtre. Je me suis longtemps demandé
pourquoi le Français, qui pourrait avoir
devant lui, tout prêt, et chaud, le meilleur
café du monde, préfère le voir passer au
compte-gouttes à travers un mystérieux alam-
bic et le boire finalement froid après s'être
brûlé les doigts en essayant sans succès de
régler le filtrage : je crois qu'il aime « brico-
ler » son café[1].

Le filtre est une de ces trouvailles, une de

1. Il se passe un peu la même chose avec les livres.
Il est bien évident qu'un éditeur anglais ou américain
qui s'aviserait d'obliger les acheteurs d'un livre neuf à

ces inventions diaboliques des Français, parmi lesquelles, on compte la minuterie (et ses concierges), les portillons à fermeture automatique, les ciseaux à mandats (ou les mandats à ciseaux), les commutateurs restrictifs des chambres d'hôtel (plafonnier sans veilleuse..., veilleuse sans plafonnier), et ces gémissantes cages, nacelles, cabines, à bord desquelles il est téméraire de s'engager sans avoir lu les INSTRUCTIONS POUR LA MANŒUVRE et qui, sous le nom d'ascenseurs, restent avec noblesse le seul moyen de locomotion du monde plus lent que les pieds.

Mais, entre toutes les inventions diaboliques des Français, il en est une qui mérite

couper chaque cahier deux fois en hauteur et une fois en largeur ferait rapidement faillite. En France, au contraire, certains éditeurs voulant innover et présenter en librairie des livres coupés ont néanmoins conservé, pour certains ouvrages, la vieille formule qui satisfait les *vrais lecteurs*. Aussi bien, mais dans une moindre mesure, certains *vrais fumeurs* (français) prétendent qu'il n'est de véritables cigarettes que celles que l'on fait soi-même et vous installent partout, avec autant d'adresse que de volupté, ces petites usines de poche qui rendraient fou un étranger. N'importe quel Français peut ainsi se payer le luxe de devenir en un clin d'œil chef d'entreprise. (*Note du Major.*)

la palme. Je veux parler de ces lieux que les
Français, amoureux du paradoxe, nomment
commodités et qu'ils se sont ingéniés à rendre
les plus malcommodes du monde[1] : ceux de
Paris, d'abord, si intimement liés au téléphone dans les *bistrots*[2] que l'on ne sait plus
très bien parfois quel genre de communica-
tion on est venu établir. (La vue d'une sou-
coupe livide au centre de laquelle une pièce
de vingt francs appelle désespérément sa sœur
vous rappelle à l'occasion que vous êtes au
Royaume du Pourboire.) Ceux de la campagne ensuite, cabanons exigus où l'on ne
parvient qu'après avoir traversé un *no man's
land* de ferraille et de volaille; gouffres
obscurs où l'on ne se maintient que par des
prodiges d'équilibre et où il faut déployer
des ruses de Sioux pour échapper à la vindicte
aveugle d'un maelström qui, au titre de
chasse d'eau, vous chasse par les pieds vers

1. Je n'oserais évidemment pas aborder un tel sujet
en Angleterre (où bien d'autres insuffisances seraient à
stigmatiser), mais, me trouvant au pays de Rabelais, je
pense que je puis y aller... (*Note du Major.*)
2. En français dans le texte.

une porte conçue de telle sorte qu'au lieu
d'ouvrir sur la lumière sèche elle vous re-
pousse vers les ténèbres trempées.

*

On voudra bien m'excuser si cette digres-
sion m'a amené à m'absenter un instant. Il
le fallait. Je reviens donc à Saumur chez le
colonel Turlot, ses housses et ses œuvres.
Ayant recouvert d'une toile de camouflage,
probablement subtilisée à quelque « sur-
plus » allié, un des bizarres appareils de son
« labo », le colonel retira sa housse de travail
pour l'accrocher à un clou et, ayant extrait
son oignon d'un étui de peau, s'écria :

« Diable! déjà midi, vous n'avez pas vu la
patronne? »

Nous partîmes à sa recherche. Un instant
je pensai que le colonel allait retirer sa femme
d'une housse, lorsqu'une moitié de Mme Turlot m'apparut, émergeant d'un placard. Revê-
tue d'une blouse bleue et coiffée d'un fichu,
elle rangeait dans une housse antimites un
tailleur garni d'astrakan.

« La dernière folie de madame, dit le colonel. Bien sûr, elle ne le met jamais ici, sauf dans les grandes occasions... C'est plutôt pour monter à Paris. »

Mme Turlot me pria de l'excuser : elle n'était pas présentable... Elle allait passer une robe et s'apprêter pour le déjeuner. Mon arrivée, *I was sorry,* jetait visiblement une certaine perturbation dans la maison. En fait les Turlot, qui disposent d'une vaste demeure, s'apprêtaient à déjeuner dans leur cuisine, mais, en mon honneur, ils entreprirent de « déhousser » la salle à manger et ce fameux salon des fantômes où ils ne s'aventurent jamais tout seuls.

« On va déboucher une bonne bouteille pour vous, mon cher Major! » dit le colonel, qui possède une cave bien fournie, mais boit chaque jour du vin rouge ordinaire.

*

Il peut paraître dangereux de juger un pays sur sa mine, surtout lorsqu'il la dissimule sous une housse, et je ne doute pas que les Français en général fassent de la housse un usage moins systématique que les Turlot, mais, sans plus parler du colonel, je ne puis m'empêcher de penser que M. Taupin comme M. Charnelet n'ont qu'une hâte lorsqu'ils viennent d'acheter une voiture : en couvrir les sièges de housses qu'ils ôteront le jour de la revente *(état impecc)* pour les utiliser si possible sur leur nouvelle acquisition.

Je serais porté à croire, en définitive, que la housse est un symbole de l'esprit d'épargne, et même de privation, des Français. Ce peuple dont les habitants sont avides de propriété au point de dire : « *J'ai mes pauvres*[1] » et qui est peut-être, sur toute la terre, celui que la vie gâte le plus, observe un véritable culte pour la privation — celle des sièges de

1. Expression a rapprocher du *Je donne toujours à l'Armée du Salut* prononcé à haute voix par M. Charnelet quand une salutiste en cabriolet bleu se présente au restaurant. Sans doute M. Charnelet tient-il à souligner son discernement dans sa façon de donner. Le contact direct d'un clochard, au restaurant surtout, le met mal à l'aise, mais l'uniforme de l'Armée des pauvres le rassure : il sait où va l'argent. *(Note du Major.)*

voiture étant seulement l'une des plus répandues. Je sais un milliardaire qui a fait l'essentiel de sa réputation en prenant ses repas sur une table de bois blanc, en envoyant ses enfants à l'école communale, en voyageant en troisième, en ne coupant jamais une ficelle, et en disant aux collaborateurs qui viennent lui demander une augmentation : « Je ne sais pas comment vous faites pour dépenser tant. »

Au pays de l'abondance, la vraie richesse, la plus solide, se pare d'humilité : il n'y a que les gens sans fortune qui dépensent sans compter[1].

1. Il faut y ajouter quelques richissimes étrangers dont les folies, jugées raisonnables pour la restauration de Versailles, sont plus discutées s'il s'agit de fêtes nocturnes particulières. Fait étrange, pourtant : au royaume de la méfiance et du bas de laine, où la loi est de mettre de côté pour les mauvais jours et, si les mauvais jours arrivent, de continuer à mettre de côté pour les pires, il n'est rien de tel qu'un étranger pour faire sortir le bon argent de ses caches. On se méfie, par-dessus tout, des placements, mais, à intervalles réguliers, on apprend qu'un homme en *ski* ou en *vici*, plus fort que n'importe quel Dupont, a déterré les milliards et ravagé trois siècles d'épargne. « C'était loin... sans impôts... et personne n'en saurait rien », disent les dupes qui (toujours cette crainte du ridicule) se gardent de se faire connaître à l'heure des dédommagements, mais commencent à se priver cette fois tout de bon. *(Note du Major.)*

XVI

LE PAYS DU MIRACLE

Le miracle est, avec la vigne, l'une des principales cultures de la France.

Positivistes, rationalistes ou voltairiens, les
Français croient dur comme fer aux miracles.
A l'instant où l'ennemi est aux portes de Paris,
comme au moment où il ne reste plus qu'une
minute à jouer contre l'Angleterre à Co-
lombes, ils s'en remettent volontiers à la
Providence qui, on doit le dire, les a souvent
gâtés.

Abonnée aux prodiges avec ses sœurs
latines depuis sa plus tendre enfance, la
France attire le miracle comme d'autres pays

l'humidité. Que dis-je! Elle l'adapte aux besoins de l'heure : à pied avec sainte Geneviève, à cheval avec Jeanne d'Arc, le miracle a été motorisé avec les taxis de la Marne Il peut être, demain, atomique.

Parfois, à l'étranger, un homme d'Etat s'écrie : « Seul un miracle pourrait nous en sortir. » C'est la fin de tout. En France, cela peut être le commencement de beaucoup de choses. Le Français s'allume dans les ténèbres, il s'organise dans le chaos. Les choses possibles l'intéressent peu; l'impossible le passionne. Au pays de la facilité, la difficulté l'inspire. Sa plante nationale, l'astuce, s'en repaît.

Le miracle suit le Français dans sa vie comme il accompagne la France dans l'Histoire. La première chose que les Français, gens cultivés avant de naître, apprennent à leurs enfants, c'est qu'ils ont été trouvés dans un chou (on reconnaît là leur tendance alimentaire et leur besoin de petits mots doux : caillou, chou, genou). Les parents font d'ailleurs tout pour que leur enfant devienne lui-même un enfant-miracle : élevés au

contact de doctes demoiselles des Deux-Sèvres,
d'oncles gâteau et de vieillards philosophes,
les enfants de France, *très avancés pour leur
âge*[1], émettent des jugements d'octogénaires
qui affoleraient des parents anglais mais
ravissent leurs auteurs, tout heureux de les
feuilleter en public comme des recueils de
bons mots. De son côté, ouvertement ou en
cachette, l'enfant observe le culte du miracle.
Il n'apprend pas seulement Jeanne d'Arc, et
ces frontières naturelles que le Créateur des-
sina pour les Français alors qu'Il a laissé à
tant d'autres le soin de les trouver eux-
mêmes[2]; il s'associe aux Tintins, Spirous et
autres petits Rois du Système D qui retrouvent leur chemin dans la forêt vierge, sauvent
d'une mort certaine des explorateurs (anglais)

1. En français dans le texte.
2. A ce point de vue comme à tant d'autres, la Grande-
Bretagne est, bien entendu, un pays à part. Toutefois,
je n'ai rien trouvé à opposer à la très étrange observation
de M. Taupin qui m'a fait remarquer que les deux
premières lettres du mot « FRANCE » étaient celles du
mot « LIBERTÉ » en anglais *(freedom)*, en allemand
(freiheit), en suédois *(frihet)*, en islandais *(frelsi)*, sans
parler d'autres langues, et qu'on pouvait voir là un signe
d'ordre miraculeux. *(Note du Major.)*

et reviennent en France avec le secret de la bombe au curare et les félicitations de Scotland Yard.

Fertilisée par le limon du secondaire, l'astuce de l'écolier ne cessera plus de grandir, jusqu'au jour où elle lui permettra de réaliser le prodige commun à tous les Français, le fameux Miracle de la Balayette : dans une cour de caserne, sous l'œil vigilant d'un adjudant chef qui ne veut pas le savoir, faire surgir du néant un balai pour balayer du vent. Ce sont les petites Marnes de la paix. Le Français conservera jusqu'à la mort l'empreinte de cette scolastique qu'il transmettra à son fils en lui disant : « Tu verras quand tu feras ton service! »

A côté du lycée et de la caserne, les Grandes Ecoles se chargent d'aiguiser et d'embellir l'astuce du Français qui en sort *(trapu)* comme d'une boîte à miracles : *il pige*[1]... il « pige » ce que tant d'autres ne comprennent qu'après coup. Quelquefois, il s'expatrie. Il prépare alors le métro à Caracas ou les gre-

1. En français dans le texte.

nouilles à Adélaïde. Il fait vivre la Gascogne à Cincinnati, et Polytechnique à Kaboul. Mais il se retirera le plus tôt possible à Barcelonnette ou à Brive — car s'il existe bien des pays pour gagner sa vie, la France est, tout compte fait, celui où on la dépense le mieux.

*

Pays du miracle, des hommes-miracle, des robes-miracle, Royaume de la Nuance et des Impondérables, je vais te quitter...

Tout à l'heure, je m'envolerai vers le Bengale afin de répondre à la cordiale invitation de mon vieil ami le colonel Basil Cranborne qui, avant de rejoindre son nouveau poste à Singapour, m'a prié à sa dernière chasse au tigre. Aujourd'hui, pourtant, je ne pars plus comme naguère. Invisibles mais présents, cent visages m'escortent. Le colonel Cranborne et notre hôte le Maharajah de Bhagalpur ne pourront s'en apercevoir, bien sûr, mais, tandis qu'ils me parleront des carnassiers mangeurs d'hommes, le visage de Mar-

tine surgira sur la nappe, je penserai à Martine, je penserai à Paris. Et mon spleen ne
sera pas seulement sentimental... Il y a plusieurs mois déjà, une nuit, aux Indes, je me
suis senti gagné par la nostalgie stomacale de
la France : comme je dormais sous la tente
dans la jungle torride de l'Assam balayée par
la mousson, la mère Grenouillet m'est appa-
rue en songe. « Qu'est-ce que vous fabriquez
là, Major? » Les mains sur les hanches, au
bord d'une onde paisible qui ne connaissait
ni la mousson ni le typhon, elle me demandait : « Que diriez-vous, Major, de *ma* truite
à la crème? »

J'ai su, cette nuit-là, que je n'étais plus
le même homme.

C'en est fait maintenant : chez les Sikhs ou
chez les Zoulous, à Rangoon ou à Zanzibar,
je pense à la place Vendôme et à Azay-le-
Rideau. Et quand je reviens des Indes ou du
Kalahari, quand l'avion, après avoir survolé
tant d'étendues de sable et de rocaille où la
terre et le ciel semblent s'être déclaré la
guerre, me rapproche de la bouclante *River*

Seine, au-dessus de ce petit hexagone béni des
dieux où tout est fait pour l'homme à
l'échelle de l'homme, pour le plus grand plaisir de sa rétine, de son palais et de son cœur
— je sais que je suis revenu au Pays du
Miracle.

Un pays à nul autre pareil où les fermes,
les églises, les manoirs sont si bien inscrits
dans le paysage qu'ils semblent avoir été
conçus en même temps que lui.

Un pays de 43 millions de planètes pen-
santes qui ont chacune leur petite idée de
derrière la tête, et dont les citoyens tous différents, et tous semblables parce qu'ils veulent être différents, ne cessent de se disputer
pour conclure :

« Au fond, nous sommes bien d'accord... »

Un pays où les gens ont tellement de personnalité qu'ils ne peuvent lire un bulletin
météorologique à la radio sans s'identifier,
joyeux, au beau fixe ou, dramatiques, à
l'orage.

Terre étrange où, en une minute, je trouve
quelqu'un pour me haïr et quelqu'un pour

m'aimer, et où — miracle — je constate que c'est la même personne.

Charnelets et Taupins, Turlots et Pochets, tous animés du même souffle de fronde et de liberté, j'ai souvent médit de vous.

Il me reste maintenant à me faire pardonner...

J'ai dit que vous étiez sceptiques, méfiants, parcimonieux. Le miracle, c'est que vous êtes également enthousiastes, confiants, généreux. Si demain vous deveniez disciplinés, exacts, silencieux, un grand malheur se serait abattu sur le monde. Car les défauts, chez vous, ne sont que l'envers de vos qualités. Votre nation de xénophobes est le refuge des étrangers; vous ne résistez pas à la fraude et vous élevez vos enfants dans le culte du droit chemin; votre peuple de petits bourgeois est celui des grands seigneurs; vous êtes les gens les plus inhospitaliers de l'univers et votre pays est le plus accueillant du globe. S'il est vrai que le plaisir naît des contrastes, vous êtes le plus plaisant peuple de la terre. Et s'il est exact que les cerveaux sont comme les parachutes (pour fonctionner, disait Lord Dewar, il faut qu'ils soient ouverts), vous êtes les premiers parachutistes du monde.

Pardonnez-moi... Pardonnez ma hardiesse. Quand, jetant un coup d'œil en arrière, je relis ces carnets d'un explorateur parti à la découverte de la France et des Français, je suis effrayé de mon audace. Je rentrerais sous l'Angleterre... De quel droit, Anglais, ai-je inventorié vos travers? Du misérable droit des hommes qui se croient qualifiés pour parler de la vie sur terre alors qu'ils meurent enfants sans même avoir vécu cent ans? Peut-être, simplement, du droit que m'enseigna Bernard Shaw : le meilleur moyen de se familiariser avec un sujet, c'est de lui consacrer un livre...

*

Il me reste encore à me faire pardonner de ma Reine...

En bonne gouvernante anglaise, Miss ffyfth apprend aux petits enfants du Bois de Boulogne · qu'ils ont beaucoup de chance d'être Français : ils habitent le seul pays du monde qui ne soit séparé de l'Angleterre que par trente kilomètres.

Que ma Souveraine me pardonne si j'en suis venu à retourner cet axiome : un des privilèges de l'Anglais, c'est de n'avoir que le Channel à traverser pour être en France. Puisse Sa Gracieuse Majesté ne pas me tenir rigueur si j'ai choisi de vivre en France : n'était-ce pas, pour ma modeste part, la meilleur façon de célébrer l'Entente Cordiale?

Hélas!... Il y a plus, Votre Majesté, il y a de terribles choses. Dans les rues de Paris, maintenant, je flâne. Qu'une auto rencontre une autre auto (Dieu sait si cela est fréquent!) — me voici devenu badaud... Et puis... oserai-je le dire?... il passe, au printemps surtout, de si charmantes silhouettes dans les rues de Paris que... oui... je me surprends à me retourner. Quarante années durant, j'ai vu. Aujourd'hui, je regarde. Ce n'est pas tout : l'autre jour, oubliant toute retenue, je me suis laissé aller à demander à M. Taupin

ce qu'était ce bouton qu'il avait sur le nez.
Et quand je l'ai quitté je lui ai dit : « Allez,
au revoir, allez!... » Enfin, il y a, *my Queen,*
ces déplorables envies d'escargots qui me
prennent soudain à Gibraltar ou à Bombay.
Et ce chambolle-musigny que le père Rouge-
trogne tire de sa cave lorsque je vais à Aval-
lon et qui fait si bien ressortir la ligne bleue
de mes temporales sur le fond cramoisi de
mes joues que le patron appelle son fils :
« Fiston... viens voir le major Thompson faire
le drapeau britannique!... » *Good heavens,
how disgraceful, your Majesty!* Je suis
damné : le Seigneur me punira un jour en
me faisant éclater sur les bords du Cousin
ou de la Midouze...

En attendant, j'en fais l'aveu : collines de
Bourgogne, lointains bleutés de l'Ile-de-
France, quais de Paris, provinces de Saint-
Sulpice et de Saint-Louis-en-l'Ile, je suis votre
docile esclave. France des bons gîtes et des
bonnes tables, combien de fois déjà ai-je
déplié ta carte aux noms pleins de promesses :
Brocéliande, Vézelay, Brantôme, Loctudy, et

tous ces La Ferté anonymes mais bien à eux
avec leurs demoiselles jasant derrière les
rideaux et leurs accortes nymphes qui semblent nées pour faire jaser les demoiselles...
France qui se laisse boire au long des jours
comme ses crus et tend sa coupe au monde
(en consignant le verre), j'aime tes mots,
j'aime ton ciel et ta lumière. J'aime tes fronts
têtus, et cette façon que tu as de dire à la
Metro Goldwyn Mayer et à Arthur Rank
Esq., quand je demande à notre vieille Florine pourquoi elle ne va jamais au cinéma :
« J'irai quand ce sera au point. »

J'aime tout en toi et toi en tout.

F comme folie, *r* comme raison, *a* comme
amour, *n* comme nounou, *c* comme chauvin,
e comme Ernest,... j'aime la France.

TABLE DES MATIÈRES

ŒUVRES DE PIERRE DANINOS

ROMANS

Le Sang des Hommes, 1941 (Payot).
Méridiens, 1945 (Plon).
Eurique et Amérope, 1946 (Plon).
Les Carnets du Bon Dieu (*Prix Interallié*), 1947 (Plon).
L'Éternel Second, 1949 (Plon).
Ludovic Morateur ou le Plus que Parfait, 1970 (Plon).

ESSAIS, RÉCITS

Passeport pour la nuit ou Le Roi Sommeil, 1946 (Plon).
Sonia, les autres et moi (*Prix Courteline*), 1952 (Plon).
Comment vivre avec (ou sans) Sonia, 1953 (Plon).
Les Carnets du Major Thompson, 1954 (Hachette).
Le Secret du Major Thompson, 1956 (Hachette).
Vacances a tous prix, 1958 (Hachette).
Un certain Monsieur Blot, 1960 (Hachette).
Le Jacassin, 1962 (Hachette).
Daninoscope, 1963 (Presses de la Cité).
Snobissimo, 1964 (Hachette).
Le 36ème dessous, 1966 (Hachette).
Le Major Tricolore ou « Comment peut-on être Français ? », 1968 (Hachette).
Le Pyjama, 1972 (Grasset).
Les Nouveaux Carnets du Major Thompson, 1973 (Hachette).
Les Touristocrates, 1974 (Denoël).
Made in France, 1977 (Julliard).

EN COLLABORATION AVEC D'AUTRES AUTEURS

Savoir-vivre international, 1951 (Odé).
Le Tour du Monde du Rire, 1953 (Hachette).
Tout l'Humour du Monde, 1958 (Hachette).

IMPRIMÉ EN FRANCE PAR BRODARD ET TAUPIN
7, bd Romain-Rolland - Montrouge - Usine de La Flèche.
LE LIVRE DE POCHE - 12, rue François Iᵉʳ - Paris.
ISBN : 2 - 253 - 00008 - 6

Humour, Dessins, Jeux et Mots croisés

HUMOUR, DESSINS

Allais (Alphonse).
   Plaisir d'Humour, 1956/9*.
Biron (F.) et Folgoas (G.).
   Alors raconte..., 4934/3**.
Boudard (Alphonse) et Étienne (Luc).
   La méthode à Mimile, 3453/5****.
Cami.
   Pour lire sous la douche,
   4780/0***.
Carelman.
   Catalogue d'objets introuvables,
   4037/5**.
Chaval.
   L'Homme, 3534/2**.
   L'Animalier, 3535/9**.
   Les Gros Chiens, 3995/5*.
Christophe.
   La Famille Fenouillard, 1908/0****.
   Le Sapeur Camember, 1909/8****.
   L'Idée fixe du savant Cosinus,
   1910/6**.
Dac (Pierre).
   L'Os à moelle, 3937/7**.
Effel (Jean).
LA CRÉATION DU MONDE :
   1. **Le Ciel et la Terre**, 3228/1**.
   2. **Les Plantes et les Animaux**,
   3304/0**.
   3. **L'Homme**, 3663/9**.
   4. **La Femme**, 4025/0**.
   5. **Le Roman d'Adam et Eve**,
   4228/0****.
   Le Petit ange, 4822/0****.
Etienne (Luc).
   L'Art de la charade à tiroirs,
   3431/1**.
Faizant (Jacques).
   Au Lapin d'Austerlitz, 3341/2**.
   Ni d'Eve ni d'Adam, 3424/6*.
Forest (Jean-Claude).
   Barbarella, t. 1 : 4055/7**.
   Barbarella, t. 2 : **Les Colères du
   mange-minutes**, 4056/9**.
Guillois (Mina et André).
   L'Amour en 1 000 histoires drôles,
   4779/2***.
   En voiture pour le rire, 4813/9*.

   **La Politique en 1 000 histoires
   drôles**, 4951/7***.
Hamelin (Daniel).
   Les Nouveaux « Qui-colle-qui ? »,
   4935/0*.
Henry (Maurice).
   Dessins : 1930-1970, 3613/4**.
Jarry (Alfred).
   Tout Ubu, 838/0****.
   La Chandelle verte, 1623/5***.
Jean-Charles.
   Les Perles du Facteur, 2779/4*.
   Les Nouvelles Perles du Facteur,
   3968/2*.
Mignon (Ernest).
   Les Mots du Général, 3350/3*.
Nègre (Hervé).
   Dictionnaire des histoires drôles,
   t. 1, 4053/2****; t. 2, 4054/0****.
Peter (L. J.) et Hull (R.).
   Le Principe de Peter, 3118/4*.
Reboux (Paul) et Muller (Charles).
   A la manière de..., 1255/6**.
Ribaud (André).
   La Cour, 3102/8**.
Rouland (Jacques).
   **Les Employés du Gag (La Caméra
   invisible)**, 3237/2*.
Samivel.
   L'Amateur d'abîmes, 3143/2**.
Simoen (Jean-Claude).
   **De Gaulle à travers la caricature
   internationale**, 3465/9**.
Siné.
   Je ne pense qu'à chat, 2360/3**.
   Siné Massacre, 3628/2**.
Wolinski.
   Je ne pense qu'à ça, 3467/5**.

JEUX ET MOTS CROISÉS

Arca (Daniel).
   100 Labyrinthes, 4758/6**.
Asmodée, Hug, Jason, Théophraste
et Vega.
   Mots croisés du « Figaro »,
   2216/7*.
Aveline (Claude).
   Le Code des jeux, 2645/7****.

Berloquin (Pierre).
  100 Jeux alphabétiques, 3519/3*.
  100 Jeux logiques, 3568/0*.
  100 Jeux numériques, 3669/6*.
  100 Jeux géométriques, 3537/5*.
  Testez votre intelligence, 3915/3**.
  100 Jeux et casse-tête, 4165/4**.
  100 Jeux pour insomniaques,
  8101/5.
Bloch (Jean-Jacques).
  100 Problèmes de scrabble,
  8104/9**.
Brouty (Guy).
  Mots croisés de « L'Aurore »,
  3518/5*.
Favalelli (Max).
  Mots croisés, 1er recueil, 1054/3* ;
  2e recueil, 1223/4* ;
  3e recueil, 1463/6* ;
  4e recueil, 1622/7* ;
  5e recueil, 3722/3* ;
  6e recueil, 4752/9* ;
  7e recueil, 8103*.
  Mots croisés de « L'Express »,
  3334/7*.
Grandjean (Odette-Aimée).
  100 Krakmuk et autres Jeux,
  3897/3**.
La Ferté (R.) et Diwo (F.).

  100 Nouveaux Jeux, 3347/9*.
  Mots croisés, 2465/0*.
  Mots croisés de « France-Soir »,
  2439/5*.
  Mots croisés de « Télé 7 jours »,
  3662/1*.
  Mots croisés des champions,
  4232/2*.
  Mots croisés « à 2 vitesses »,
  4742/0*.
La Ferté (R.) et Remondon (M.).
  100 Jeux et Problèmes, 2870/1*.
Le Dentu (José).
  Bridge facile, 2837/0***.
Lespagnol (Robert).
  **Mots croisés du « Canard En-
  chaîné »,** 1972/6*.
  Mots croisés du « Monde »,
  2135/9*.
Scipion (Robert).
  **Mots croisés du « Nouvel Obser-
  vateur »,** 3159/8*.
Sémène (Louis-Paul).
  Mots croisés du « Provençal »,
  8102/3*.
Seneca (Camil).
  Les Echecs, 3873/4****.
Tristan Bernard.
  Mots croisés, 1522/9*

Le Livre de Poche classique

Des textes intégraux.
Des éditions fidèles et sûres.
Des commentaires établis par les meilleurs spécialistes.

Pour le grand public. La lecture des grandes œuvres rendue facile grâce à des commentaires et à des notes.

Pour l'étudiant. Des livres de référence d'une conception attrayante et d'un prix accessible.

Lautréamont.
　Les Chants de Maldoror, 1117/8**.
Machiavel.
　Le Prince, 879/4**.
Mallarmé.
　Poésies, 4994/7***.
Marivaux.
　Théâtre (Le Triomphe de l'Amour
　- L'Ecole des mères - Le Petit
　Maître corrigé - La Mère confi-
　dente - Le Legs - Les Fausses
　Confidences - L'Epreuve - La
　Dispute - Le Préjugé vaincu),
　2120/1**.
Marx et Engels.
　Le Manifeste du Parti Communiste
　suivi de Critique du Programme
　de Gotha, 3462/6*.
Mérimée.
　Colomba et Autres Nouvelles,
　1217/6**.
　Carmen et Autres Nouvelles,
　1480/0**.
　Chronique du Règne de Char-
　les IX, 2630/9**.
Montaigne.
　Essais, t. 1, 1393/5*** ; t. 2,
　1395/0*** ; t. 3, 1397/6***.
　Journal de voyage en Italie,
　3957/5****.
Montesquieu.
　Lettres persanes, 1665/6**.
Musset.
　Théâtre (On ne saurait penser
　à tout - Carmosine - Bettine -
　Pièces posthumes - Fragments -
　Ecrits sur le théâtre), 1431/3**.
Nerval.
　Aurélia suivi de Lettres à Jenny
　Colon, de La Pandora et de Les
　Chimères, 690/5**.
　Les Filles du feu suivi de Petits
　Châteaux de Bohême, 1226/7**.
Nietzsche.
　Ainsi parlait Zarathoustra, 987/5***.
Ovide.
　L'Art d'aimer, 1005/5*.
Pascal.
　Pensées, 823/2***.
Pétrone.
　Le Satiricon, 589/9*.
Poe.
　Histoires extraordinaires, 604/6**.
　Nouvelles Histoires extraordinai-
　res, 1055/0**.

Histoires grotesques et sérieuses,
2173/0**.
Prévost (Abbé).
　Manon Lescaut, 460/3**.
Rabelais.
　Pantagruel, 1240/8**.
　Gargantua, 1589/8**.
　Le Quart Livre, 2247/2***.
　Le Cinquième Livre et Œuvres
　diverses, 2489/0***.
Retz (Cardinal de).
　Mémoires, t. 1, 1585/6** ; t. 2,
　1587/2**.
Rimbaud.
　Poésies, 498/3**.
Rousseau.
　Les Confessions, t. 1, 1098/0*** ;
　t. 2, 1100/4***.
　Les Rêveries du Promeneur soli-
　taire, 1516/1**.
Sacher-Masoch.
　La Vénus à la fourrure et autres
　nouvelles, 4201/7****.
Sade.
　Les Crimes de l'amour, 3413/9**.
　Justine ou les malheurs de la
　Vertu, 3714/0***.
　La Marquise de Gange, 3959/1**.
　Aline et Valcour, 4757/8****.
Sand (George).
　La Petite Fadette, 3550/8**.
　La Mare au diable, 3551/6**.
　François le Champi, 4771/9**.
Shakespeare.
　Roméo et Juliette suivi de Le
　Songe d'une nuit d'été, 1066/7**.
　Hamlet - Othello - Macbeth, 1265/
　5**.
　Le Songe d'une nuit d'été suivi
　de Cymbeline et de La Tempête,
　3224/0**.
Stendhal.
　Le Rouge et le Noir, 357/1***.
　La Chartreuse de Parme, 851/3***.
　Romans et Nouvelles, 2421/3**.
Stevenson.
　L'Ile au trésor, 756/4**.
Suétone.
　Vies des douze Césars, 718/4***.
Tchékhov.
　L'Oncle Vania suivi de Les Trois
　Sœurs, 1448/7**.
　Ce Fou de Platonov suivi de Le
　Sauvage, 2162/3**.
　La Steppe suivi de Salle 6, de

Le Livre de Poche pratique

Des ouvrages le plus souvent illustrés, clairs, précis, complets pour répondre à vos questions dans des domaines divers.

1. ENFANTS, FEMMES, INFORMATION SEXUELLE, SANTÉ

Armelin (Dr Gisèle).
Les Médecines naturelles, 4011/0***.
Coudray (Annie).
Mon enfant fait du sport, 3976/5****.
Koechlin-Schwartz (Dorothée) et Grapas (Martine).
Guide de l'anti-consommateur, 7700/5****.
Lamiral (S.) et Ripault (C.).
Soins et beauté de votre enfant, 3701/7***.
Dr Levrier (M.) et Dr Roux (G.).
Dictionnaire intime de la femme, 3536/7***.
Pernoud (Laurence).
J'élève mon enfant, 3281/0****.
Vaysse (A.) et Pouchain (G.).
Mon enfant entre en sixième, 3960/9**.
Vincent (R.) et Mucchielli (R.).
Comment connaître votre enfant, 552/7***.

2. MODE, BEAUTÉ

Coulon (M.) et La Villehuchet (M. F. de).
Guide du crochet, 2808/1***.
La Villehuchet (M. F. de).
Guide du tricot, 1939/5****.
Guide de coupe et couture, 2265/4***.
Treskine (H.) et La Villehuchet (M. F. de).
Guide de la beauté, 2683/2****.

3. MAISON, JARDIN, ANIMAUX DOMESTIQUES

Aurières (Marcelle et Albert).
100 Façons de recevoir, 3630/8*.
Caron (Michel).
Bricolage au jardin, 4753/7***.
Chappat (D.).
Éclairage et décoration, 2242/3**.
150 bonnes idées pour votre maison, 2306/6**.
Doussy (Michel).
L'outillage du Bricoleur, 3590/4***.
Dumay (Raymond).
Guide du jardin, 2138/3***.
Les Jardins d'agrément, 2253/0**.
Duvernay (J.-M.) et Perrichon (A.).
Fleurs, fruits, légumes, 2526/9****.
Gardel (Janine).
Le bricolage dans votre appartement, 2101/1***.
Marsily (Marianne).
1 000 idées de rangement, 2452/8**.
Méry (Fernand).
Le Guide des chats, 3182/0***.
Perrichon (André).
Les Plantes d'appartement, 3464/2****.
Les Plantes de balcon et de terrasse, 4240/5****.
Roucayrol (Georges W.).
Le Livre des chiens, 3214/1***.

4. CUISINE

Académie des Gastronomes.
Cuisine française, 3659/7****.
Androuet (Pierre).
Guide du fromage, 4012/8*****.

Brossard (Claude).
   Cocktails en toutes occasions,
   7703/9****.
Dumay (Raymond).
   Guide du vin, 2769/5****.
Guizot (Hélène).
   **Tout sur la Congélation et les
   Surgelés,** 4177/9**.
Loren (Sophia).
   Cuisine à l'italienne, 4717/2**.
Maine (Monique).
   Cuisine   pour   toute   l'année,
   2611/9**.
Mathiot (Ginette).
   La cuisine pour tous, 2290/2***.
   La pâtisserie pour tous, 2302/5***.
   Cuisine de tous les pays, 1940/3**.
   Les conserves pour tous,
   7704/7****.
Pomiane (Edouard de).
   Cuisine en 10 minutes, 3320/6*.
   Le Code de la bonne chère,
   4842/8****.
Toulouse-Lautrec (Mapie de).
   La cuisine de Mapie, 2711/7***.

LA CUISINE de A à Z

   Une nouvelle **encyclopédie culinaire** abondam-
ment illustrée de photos
en couleurs.

   Autour d'un thème cha-
que volume vous présente
tout ce qu'il faut savoir
pour réaliser les recettes
les plus simples ou les
plats les plus raffinés.

Le Bœuf, 4120/9.
Les Gâteaux, 4121/7.
Soupes et potages, 4122/5.
Les Œufs, 4123/3.
Poules, poulets, poulardes, 4124/1
Grillades et barbecues, 4125/8.
Buffets et lunchs, 4126/6.
Les Légumes, 4128/2.
Crustacés et coquillages, 4129/0.
Le Veau, 4130/8.
Lapins et volailles, 4131/6.
Les Poissons, 4132/4.
Les Hors-d'œuvre, 4133/2.

L'Agneau et le Mouton, 4134/0.
Les Entremets, 4135/7.
Les Grands plats régionaux, 4136/5.
Glaces, sorbets et coupes, 4137/3.
Les Entrées chaudes, 4138/1.
Porc et cochonnailles, 4139/9.

5. SPORTS, LOISIRS, JEUX, PHOTOGRAPHIE, DIVERS

Aveline (Claude).
   Le Code des jeux, 2645/7****.
Benard (Serge).
   **Le Caravaning : Le Guide complet
   du caravanier,** 3874/2***.
Berloquin (Pierre).
   Testez votre intelligence, 3915/3**.
Boubat (Edouard).
   La Photographie, 3626/6***.
Bovis (Marcel) et Caillaud (Louis).
   **Initiation à la photographie noir
   et couleur,** 3668/8**.
Boyer (Pierre).
   Initiation au cinéma d'amateur,
   3872/6***.
Duborgel (Michel).
   **La pêche en mer et au bord de
   la mer,** 2254/8**.
   **La pêche et les poissons de nos
   rivières,** 2303/3**.
   La pêche au coup, 2577/2*.
   La pêche au lancer, 3116/8*.
Dunne (Desmond).
   Yoga pour tous, 3837/9***.
Le Dentu (José).
   Bridge facile, 2837/0***.
Libourel (C.) et Murr (P.).
   La Natation, 3893/2**.
Méric (Philippe de).
   Le yoga pour chacun, 2514/5**.
   Le yoga sans postures, 3629/0**.
Merrien (Jean).
   Naviguez ! à la voile, 2277/9***.
Nadaud (Jérôme).
   Guide de la chasse, 2305/8****.
Rignac (Jean).
   Les lignes de la main, 3580/5**.
Seneca (Camil).
   Les Echecs, 3873/4****.
XXX.
   **En pleine forme avec 10 minutes
   de gymnastique par jour,** 2500/4**.

Prévention routière.
Le Permis de conduire, 4086/2.
(Prix : 14 F.)

6. DICTIONNAIRES, OUVRAGES DE RÉFÉRENCE

Dournon (Jean-Yves).
La Correspondance pratique, 7702/1****.
Georgin (René).
Guide de Langue française, 2551/7***.

Renty (Ivan de).
Lexique de l'anglais des affaires, 3667/0****.
XXX.
Atlas de Poche, 2222/5. (Prix : 16 F.)
Dictionnaires **LAROUSSE**.
Larousse de Poche, 2288/6****.
Français-Anglais, Anglais-Français, 2221/7****.
Français-Espagnol, Espagnol-Français, 2219/1****.
Français-Allemand, Allemand-Français, 2220/9****.
Français-Italien, Italien-Français, 2218/3****.

Etudier une langue en 90 leçons

Méthode 90

A la fois complète, progressive et pratique, la **Méthode 90** de langues s'adresse au débutant aussi bien qu'à l'utilisateur averti comme moyen d'entretien ou de perfectionnement.

Berman-Savio-Marcheteau.
Méthode 90 : Anglais, 2297/7**** (Livre).
Méthode 90 : Anglais, 3472/5.
(Coffret de *5 cassettes*. Prix : 247,50 F.)
Fiocca (Vittorio).
Méthode 90 : Italien, 2684/6*** (Livre).
Borzic (J.) et Becourt (M.-F.).
Méthode 90 : Russe, 4193/6.
(Livre. Prix : 17 F.)

Donvez (Jacques).
Méthode 90 : Espagnol, 2299/3*** (Livre).
Méthode 90 : Espagnol, 3473/3.
(Coffret de *disques*. Prix : 130 F.)
Jenny (Alphonse).
Méthode 90 : Allemand, 2298/5*** (Livre).
Méthode 90 : Allemand, 3699/3.
(Coffret de *disques*. Prix : 130 F.)

Version sonore

La version sonore de la MÉTHODE 90 est le complément naturel du livre.

Elle facilitera considérablement vos efforts et vous permettra d'assimiler **plus rapidement** et **plus complètement**, le contenu de chaque leçon.

Cinq microsillons 33 t 30 cm représentent 5 heures d'écoute stéréo.

Cinq cassettes représentent 6 heures d'écoute.

DU MEUBLE INDIVIDUEL AU GRAND ENSEMBLE

catalogue gratuit

FACULTE DE RETOUR

BIBLIOTHÈQUES CONTEMPORAINES
JUXTAPOSABLES - SUPERPOSABLES (vitrées ou non)
5 hauteurs - 3 profondeurs - 3 largeurs - 2 couleurs

Modèles contemporains EN PROFILÉ ALUMINIUM ANODISÉ BROSSÉ ATX et en stratifié mélaminé blanc ou noir. Montants et traverses en aluminium anodisé brossé. Pinces d'assemblage système breveté ATX. Pieds à vérins plastique noir. Côtés et fonds en stratifié mélaminé double face 8 mm, crémaillères aluminium encastrées. Etagères réglables en aggloméré stratifié mélaminé double face 19 mm, chant avec T aluminium encastré. Portes coulissantes en verre ou en parsol bronze de 5 mm d'épaisseur, sur option.

INSTALLEZ-VOUS VOUS-MÊME ULTRA-RAPIDEMENT

Exemple de juxtaposition et de superposition

Nos modèles vous permettent de constituer et d'agrandir votre bibliothèque au fur et à mesure de vos besoins par simple pose sans aucune fixation

la maison des BIBLIOTHEQUES
la plus moderne maison spécialisée

STANDARD, RUSTIQUES, CONTEMPORAINES
LIGNE OR - LIGNE NOIRE - STYLE

150 MODÈLES
Juxtaposables
Superposables
Démontables
VITRÉS
COMBINAISONS D'ASSEMBLAGE PAR SIMPLE POSE SANS AUCUNE FIXATION

A DES PRIX IMBATTABLES!

La Grande Anthologie de la Science-Fiction

Une **encyclopédie thématique** des années 30 à nos jours qui offre :
- un choix raisonné des nouvelles les plus célèbres et les plus représentatives ;
- un éventail complet des auteurs ;
- tous les thèmes « classiques » de la science-fiction.

Chaque volume comporte : une introduction générale, une préface, une présentation de chaque texte, un dictionnaire des auteurs.

Science-Fiction

Cette nouvelle série, inaugurée en janvier 1977, présente aux lecteurs du Livre de Poche les plus grands titres des écrivains du genre, ceux qui sont appelés à demeurer par leurs qualités littéraires, autant que par l'originalité et la puissance d'évocation créatrice de ces œuvres, aux côtés des grands romans de la littérature française et étrangère.